de Bibliotheek
Breda Zuid-Oost

D0298286

EEN VREEMDELING OP DE RIJNSBURGHOEVE

Karin Peters

Een vreemdeling op de Rijnsburghoeve

VCL serie

ISBN 978 90 5977 370 7
e-ISBN 978 90 5977 838 2
NUR 344

Omslagontwerp: Bas Mazur

www.vclserie.nl

Dit boek is gedrukt op FSC-gecertificeerd papier

Proloog

'Dit is niet goed. Je weet dat het niet mag,' prevelde Sary. Ze hielp intussen de haar volkomen vreemde jongen met de knoopjes van haar blouse.

'Je bent zo mooi,' fluisterde de jongen, van wie ze niet eens de naam wist.

Ze keek in zijn diepblauwe ogen en zuchtte. Waarom was Gilles zo anders dan deze jongen? Hij zei nooit dat ze mooi was. Wat zei hij eigenlijk wel? Wat zou hij zeggen als hij wist dat ze hier verscholen lagen, tussen het hooi van een schuur bij een boerderij waarvan ze de eigenaar niet kende? Maar zoiets kwam niet in hem op. Gilles was bezig met een bevalling. Van een koe weliswaar, maar dat was zeer belangrijk.

Gilles wilde met haar trouwen. Een betere man kon ze zich niet wensen, althans, volgens haar ouders. In financieel opzicht was dat zeker waar. Gilles was een zeer rijke boer, en door en door betrouwbaar. Hij strooide niet met complimentjes, maar dat hij oprecht van haar hield, daar was ze zeker van.

Terwijl deze jongeman alleen uit was op een pleziertje. Ze kende hem niet eens. Wat had haar bezield? Ze had afgesproken om met Gilles naar de kermis in Sluis te gaan, maar toen liet de koe merken dat het haar tijd was. Natuurlijk ging dat voor. Sary was desondanks vertrokken en had op de kermis deze knappe jongen ontmoet. Ze wist niet eens hoe hij heette.

Sary begon te worstelen om onder hem vandaan te komen. Maar daar was het al te laat voor, begreep ze even later. Toen de jongen was opgestaan en met zijn rug naar haar toe zijn kleren in orde maakte, veegde Sary de tranen van haar wangen. De jongen keerde zich naar haar toe. 'Het was voor jou de eerste keer,' zei hij, terwijl hij haar verbaasd aankeek.

'Ga weg!' zei ze heftig.

'Wat is er ineens met jou aan de hand?' vroeg de jongen.

'Ga weg!' zei ze voor de tweede keer.

En de jongen ging, waarschijnlijk blij dat hij deze hele toestand achter zich kon laten.

Sary stond op en schudde het hooi uit haar rok. Haar fiets stond wat verderop tegen een hek. Wat had haar bezield om met deze onbekende mee te gaan? Ze moest wel volkomen haar verstand hebben verloren.

Ze ging nu terug naar Gilles. Hij hoefde hier niets van te weten. Tenzij er gevolgen waren, maar dat kwam nooit voor na zo'n eerste keer, meende ze te weten.

Ze fietste nu terug naar de boerderij, waar ze Gilles nog in de stal verwachtte. Deze was bezig het kalfje droog te wrijven en keek slechts even op. 'Alles is goed gegaan,' zei hij, hoewel ze hem niets vroeg.

Ze zei niets en hij keek haar aan. 'We kunnen nu nog wel naar de kermis gaan,' zei hij.

Sary schudde het hoofd omdat ze dacht dat ze de jongeman zou kunnen tegenkomen. En ze voelde zich schuldig. Zo schuldig!

Na twee weken was Sary er zeker van dat haar misstap niet zonder gevolgen zou blijven. Ze voelde het aan alles. Niet dat er al fysieke verschijnselen waren die erop duidden dat ze zwanger was, maar in haar hoofd wist ze het.

En ze wist ook dat iemand haar had gezien, samen met die Belgische jongen. Leentje de Ruiter. Het meisje was enkele jaren ouder dan zijzelf. Ze was getrouwd en had een zoontje, Joost, van vier jaar.

Ze fietsten een keer met elkaar op toen Sary op weg was naar de Rijnsburghoeve, de boerderij van Gilles' ouders, die inmiddels in het dorp waren gaan wonen vanwege een slopende ziekte van zijn vader.

'Je hebt het goed getroffen met Gilles,' zei Leentje.

'Hij trof mij,' probeerde Sary een grapje, maar dat had weinig effect.

'Hoe kon je hem zo bedriegen,' zei Leentje. Ze kneep haar lippen stijf op elkaar alsof ze moeite had om niet meer te zeggen.

'Waar heb je het over?' vroeg Sary, terwijl de schrik haar om het hart sloeg.

'Ik heb je heus wel gezien. En ik niet alleen. Je ging aan de zwier met een jongen uit België, terwijl Gilles bezig was met de geboorte van een nieuw kalf. Hij pikt ook alles van jou. Ik zei hem...'

'Wat zei je?' Sary gaf een ruk aan Leentjes stuur, waardoor ze aan het slingeren raakten en Leentje ten val kwam. Sary wilde eerst doorfietsen, maar aarzelde toen. Ze wilde weten wat Leentje tegen Gilles had gezegd.

Leentje wreef over haar elleboog, ze inspecteerde haar knie en krabbelde overeind. Daarna stapte ze weer op haar fiets. 'Ik heb hem gezegd dat hij beter op je moet letten.' Ze reed weg en keek niet meer om.

Sary deed geen moeite om haar in te halen. Hoe kon ze zeker weten dat Leentje de waarheid sprak? Gilles had haar niets gezegd. Maar stel nu eens dat er gevolgen waren? Ze was nog maar enkele dagen over tijd, maar toch... Haar gevoel bedroog haar niet.

Met de fiets aan de hand liep ze piekerend verder. Gilles en zij waren tot nu toe niet zo ver gekomen als zij en die jongen in de schuur. Moest ze nu Gilles zover zien te krijgen dat hij op dezelfde manier...?

Nee! Gilles zou niet weten wat hem overkwam. Hij kende haar als een keurig meisje dat aan dergelijke zaken nog niet toe was.

Het was nooit in hem opgekomen dat ze mogelijk niet verliefd op hem was. Sary hield haar gezicht in de wind, waardoor de enkele tranen opdroogden. Goeie Gilles. Als er werkelijk gevolgen waren, zou ze met hem moeten trouwen. Ze zou hem nooit de waarheid kunnen vertellen en misschien zou dat ook niet nodig zijn. Naar Leentjes geroddel zou hij vast niet luisteren. Hij vertrouwde haar, Sary, volkomen.

Gilles verdiende zo'n onbetrouwbaar schepsel als zij was niet. Maar ze zou het goedmaken. En misschien was er niets aan de hand en maakte ze zich druk om niets.

Sary keek om zich heen. Dit was haar thuis. Ze hoorde hier, ze moest trouwen met Gilles. De gedachte aan het laatste was nog niet helemaal vertrouwd. Maar dat zou zeker komen.

Sary en Gilles trouwden binnen zes weken. Hun dochter Emma werd zeven maanden na de bruiloft geboren. De blijdschap van Gilles ontroerde Sary. In gedachten beloofde ze hem meer kinderen.

Maar het bleef bij deze ene dochter. Sary was ervan overtuigd dat niemand enige achterdocht koesterde. Behalve Leentje. Zij kon haar op een manier aankijken... Maar ook Leentje praatte er niet meer over. Daarbij, wat was het woord van een arbeidersdochter tegenover dat van de vrouw van de Rijnsburghoeve? Niemand zou haar geloven.

En zo groeide Emma zorgeloos op tot een mooi, donkerharig meisje, geliefd door haar beide ouders, op wie ze allebei totaal niet leek.

1

De kapitale boerderij lag in het vlakke Zeeuws-Vlaamse land. Het huis en de schuur werden omringd door bomen die de boerderij beschermden tegen de harde wind die soms over het land joeg. De Rijnsburghoeve was een begrip in de omgeving. De eigenaar, Gilles Rijnsburg, was een belangrijke figuur in de wijde omtrek. Hij kwam uit een familie waar geld geen rol speelde. Daarbij was hij getrouwd met Sary, en zij had na de dood van haar ouders flink geërfd. Samen hadden ze het dus op papier goed voor elkaar.

Het had ook in werkelijkheid ideaal kunnen zijn, dacht Gilles vaak. Voor zijn bedrijf was echter geen opvolger. Er was slechts een dochter, geen zoon. Emma hielp weliswaar op de boerderij en ze was pienter genoeg om een bedrijf te runnen, maar van een meisje kon je dat niet verwachten.

Ze zou met iemand moeten trouwen die hart had voor de boerderij. Misschien Joost. Die jongen was al jaren Gilles' rechterhand bij al het werk. Joost was weliswaar niet rijk, maar Gilles was ervan overtuigd dat hij in staat zou zijn de boerderij over te nemen. Daarbij was Gilles er zeker van dat Joost van zijn dochter hield.

Maar Emma zelf was er ook nog. Zijn mooie, donkerharige dochter met de bijzondere groene ogen. Emma leek totaal niet op hem. Dat was logisch, want ze wás ook niet van hem. Dat had Sary hem jaren na Emma's geboorte eindelijk verteld, en ook nog alleen omdat hij erop had aangedrongen. Hij had al lang vermoedens gehad in die richting.

Maar Emma was wel van Sary, al leek ze gek genoeg ook niet op zijn vrouw. En Gilles hield van zijn dochter. Dat hij diep in zijn hart jaren had gehoopt op een blonde zoon, hield hij wijselijk voor zich. Sary had ook graag meer kinderen gewild, maar het was bij die ene dochter gebleven.

Het was een groot geluk dat Emma hield van het werk op de boerderij en van het buitenleven. Wonen in de stad trok Emma totaal niet, voor zover Gilles wist. Maar Gilles wist niet veel van het gevoelsleven van zijn dochter. De dromerige uitdrukking op haar gezicht deed vermoeden dat ze enkel goeds verwachtte van het leven.

Veel jongens uit de omgeving waren al verliefd geworden op Emma Rijnsburg. Ze had zelf niet door welke uitwerking ze op hen had. De meeste tijd was het haar niet eens opgevallen dat een jongen meer dan gewone belangstelling voor haar had. Als iemand haar erop attent maakte, haalde ze met een vriendelijke glimlach de schouders op.

Ze was bijna twintig jaar en verwachtte meer van het leven dan trouwen en een stel kinderen. Het werken op de boerderij zag ze eerder als een prettige vrijetijdsbesteding dan als een levenstaak. Als ze al dacht dat het bestaan van de Rijnsburghoeve in feite van haar afhing, duwde ze die gedachte snel weg. Ze wilde een dergelijke last niet op haar schouders krijgen. Maar ze kon ook wakker liggen van de gedachte dat de boerderij in andere handen zou overgaan. Ze wist wat ze kon doen om dat tegen te houden. Ze moest trouwen, en wel met Joost de Ruiter. Ze wist ook hoe graag haar ouders dat wilden. Want hoewel zij van alles op de hoogte was, kon men van een vrouw toch niet verwachten dat ze de leiding van een dergelijk bedrijf overnam. Zo dacht Gilles er tenminste over.

Emma mocht Joost graag. Hij was eerlijk en betrouwbaar, en hij zette zich volledig in voor het werk op de boerderij. En – niet onbelangrijk – hij was knap om te zien. O ja, én hij was verliefd op Emma.

Emma dacht soms over deze dingen na en het maakte

haar onrustig. Dan keek ze naar haar vader en dacht: hij is al zesenvijftig. Hij was dus nog niet echt oud, maar het zware werk op de boerderij eiste toch zijn tol. Al zou hij dat zelf altijd ontkennen. Maar wat als er iets met hem gebeurde? Emma zag soms hoe haar vader zijn hand naar zijn rug bracht en wat moeizaam opstond.

Op dit moment zat Emma achter de schuur, waar een oude bank stond. Het was haar lievelingsplekje, waar ze alleen kon zijn met haar gedachten. Een stevige wind blies de wolken langs een opklarende lucht. De zon kwam tevoorschijn en verdween weer, en op het omringende vlakke land wisselden licht en schaduw elkaar af. De winter was voorbij, het voorjaar zat in de lucht – maar daar was het nog niet echt de temperatuur naar.

Emma trok haar gewatteerde jas dichter om zich heen. Het was eigenlijk te koud om hier te zitten, maar dit was de plaats waar ze het liefst zat. Ze hield van het weidse uitzicht in alle jaargetijden. Ze werd hier zelden door iemand gestoord. Toch zou ze naar binnen moeten om haar moeder te helpen. Twee kamers moesten worden schoongemaakt. Die kamers werden in het seizoen gebruikt door vakantiegangers die alleen een overnachting en een ontbijt wilden, meestal hooguit voor een paar dagen. Het gaf veel werk, maar haar moeder, Sary, vond het prettig allerlei mensen te ontmoeten.

En dat gold ook voor Emma. In de winter was het hier stil. Emma volgde in de dichtstbijzijnde stad een studie bedrijfskunde, wat haar vader toejuichte. Naast bedrijfskunde volgde ze ook Franse lessen. Ze woonden nu eenmaal dicht bij Frans taalgebied. Maar die bedrijfskunde, daar ging het echt om. Met een beetje geluk zou ze kunnen trouwen met een man die de boerderij een warm hart toedroeg – ze wilde op dit moment even niet denken aan Joost, maar zijn naam kwam toch in haar op – en dan zou ze samen met hem de leiding hebben over het bedrijf.

Soms vond ze dat haar toekomst er niet bepaald enerverend uitzag. Dat alles feitelijk al vastlag, benauwde haar soms. Zij en Joost met elkaar getrouwd, haar ouders vlakbij om een oogje in het zeil te houden, alles in kannen en kruiken zonder dat ze er ook maar iets voor hoefde te doen.

Toch moest ze er niet aan denken dat haar vader zijn bedrijf zou moeten verkopen.

Een windvlaag deed haar huiveren en ze stond op. Langs de brede dreef die naar de boerderij liep zag ze een kleine rode auto aankomen. Ze bleef even staan kijken. Zou dit al een vakantieganger zijn? Het was nog wel erg vroeg in het jaar. Voor zover zij wist hadden ze nog geen boeking binnengekregen. Maar ze had vandaag de mailbox nog niet geopend, en Sary bleef uit de buurt van de computer. Emma plaagde haar soms, vroeg of ze bang was dat het ding zou ontploffen. Haar moeder antwoordde dan dat Emma er was voor dergelijke ingewikkelde moderne zaken.

Langzaam liep Emma nu om de schuur heen naar het woonhuis, waar de kleine rode auto bij de voordeur parkeerde. Het portier werd met een zwaai geopend en een man stapte uit. Niet iemand uit de buurt, dat zag Emma direct. Hij was gekleed in een spijkerbroek en een sweater, zijn blonde haar krulde tot in zijn nek. Emma was blijven staan en toen hij het portier sloot, zag hij haar. Hij kwam onmiddellijk naar haar toe. Zijn glimlach onthulde een stralende rij spierwitte tanden, zijn blauwe ogen hadden een zo intense blik dat ze voelde dat ze een kleur kreeg. Hij stak zijn hand uit en zei: 'Ik ben Jules.'

Ze knikte kort, stelde zich voor en had even het gevoel dat ze haar hand moest loswringen.

'Woont u hier?' vroeg hij.

'Ja. Wat dan?' Emma had even het gevoel dat ze zich moest verdedigen, al wist ze niet waartegen.

'Sorry. Het verbaast mij hier zo'n mooi exotisch type aan te treffen.'

Emma deed enkele stappen bij hem vandaan. 'Waar komt u voor?' vroeg ze kortaf. Ze voelde zich niet op haar gemak, maar het was of zijn ogen haar op haar plaats hielden. Ze was opgelucht toen Joost om de hoek van het huis kwam.

Hij keek van de een naar de ander, vroeg toen: 'Wie wilt u spreken?'

Emma voelde dat Joost onmiddellijk iets had tegen de vreemdeling.

'Ik hoorde dat ik hier een kamer zou kunnen krijgen.'

Joost keek Emma aan en even had ze het gevoel dat hij wilde zeggen dat er geen plaats was. Maar dat was te gek: een gast was een gast en het geld konden ze goed gebruiken. Trouwens, haar moeder ging daarover.

'Loopt u maar naar het huis, daar zal mijn moeder wel zijn,' zei ze afgemeten.

De man draaide zich om en liep zonder nog iets te zeggen in de richting die ze hem had gewezen.

'We gedragen ons wel een beetje onbeleefd,' vond Emma. Ze schaamde zich nogal voor haar afwijzende gedrag.

'Hoezo onbeleefd?' reageerde Joost op haar opmerking. 'Hij komt hierheen met een air alsof we blij moeten zijn met zijn komst.'

'O, dat is mij echt niet opgevallen.'

'Jij was natuurlijk onder de indruk van zijn tandpastagrijns en zijn blonde kapsel.'

Emma schoot in de lach. 'Joost, dat is echt onzin. Ik ga even kijken wat hij wil.'

Joost keek haar na. Hij wist dat hij zich raar gedroeg, maar Emma had naar die vent gekeken alsof ze hem maar wat interessant vond. Hij voelde zich onrustig. Hij wist soms niet wat hij aan Emma had. Ze wist dat hij van haar hield, met haar wilde trouwen. Maar ze bleef zich afstandelijk gedragen. En dat terwijl ze zo goed bij elkaar pasten: ze waren goede vrienden, gingen een enkele keer samen uit en konden over veel zaken goed praten. Maar het leek alsof Emma geen besluit kon nemen.

'Natuurlijk houd ik van je,' had ze kortgeleden nog geantwoord op zijn vraag. Maar zo wilde hij het niet horen. Ze hield ook van de hond, op een bepaalde manier.

Hij zuchtte en liep naar de schuur. Er was werk te doen. Gilles zou zich afvragen waar hij bleef, hoewel Gilles nooit kritiek op hem had. Gilles wist van zijn liefde voor Emma en hij zou een verbintenis tussen Joost en zijn dochter zeker goedkeuren. Trouwens, bij Sary kon hij best een potje breken. Ja, de ouders had hij al voor zich gewonnen. Nu de dochter nog.

Hij had een tijdje geleden besloten Emma niet onder druk te zetten. Maar nu leek dat ineens niet zo'n goed idee meer. Ze kon zomaar ineens iemand ontmoeten op wie ze zo verliefd werd dat ze hem niet meer zag staan. Emma was geen flirterig type, maar er was geen man die niet voor een tweede keer naar haar keek. Mannen die heel wat vlotter waren dan hijzelf. Voor hij het wist, kon hij haar kwijt zijn.

Hij beende met lange passen naar de schuur, waar hij Gilles wist. Een frons boven zijn ogen, zijn vuisten gebald zonder dat hij dat zelf in de gaten had.

Emma vond haar moeder in de keuken, waar ze alvast voorbereidingen trof voor het avondeten.

'Waar was je al die tijd? Weer aan het dromen?' vroeg Sary.

'Heb je 't zo druk?' reageerde Emma.

'Ik ben nog met de kamer bezig. Er kwam iemand die van plan is wat langer te blijven.'

'Waar is hij dan nu?'

'Hij zei dat hij jou al had gezien.'

Emma knikte. 'Ja, ik had hem naar jou doorverwezen. Wat was je indruk van hem?'

'Hij leek mij iemand met geld.'

'Waarom gaat hij dan niet in een hotel?' vroeg Emma. Ze had het gevoel dat deze man hun alleen maar onrust zou bezorgen.

'Dat is onze zaak niet. Het is ook wel prettig als iemand buiten het hoogseizoen voor langere tijd komt. Een mooi extraatje.'

Emma zei niets. Ze ging via de achterdeur naar dat deel van het huis waar de twee kamers waren die ze verhuurden.

In de kast in de gang lag het linnengoed voor de gasten, en met haar armen vol liep ze naar de betreffende kamer, waarvan de deur op een kier stond. Ze duwde de deur met haar voet open en kwam oog in oog te staan met de vreemdeling. Het duurde slechts enkele seconden, maar op dat moment had ze alweer een kleur gekregen.

'Wat een verrassing,' zei hij.

'Hoezo? Ik woon hier.'

'Dat weet ik. Maar jij bent de dochter, toch? Ik ging ervan uit dat je niet hoefde te werken.'

'U dacht dat ik mijn tijd doorbracht op de bank achter de schuur,' reageerde ze koel.

'Je was daar wel een prachtig plaatje. Ik zou je zo willen schilderen.'

Emma zei niets, en ze begon met snelle bewegingen het bed op te maken. Hij ging in de stoel bij het raam zitten, zijn blauwe ogen lieten haar niet los. Waarom kwam meteen weer de gedachte in haar op dat hij wel wat van haar zou moeten? Dat was gewoon belachelijk. Hij was alleen maar een knappe kerel die dat van zichzelf wist.

'Vind jij het vervelend dat ik hier een tijdje blijf?' vroeg hij plotseling.

'Er logeren hier regelmatig toeristen,' antwoordde ze.

Hij haalde zijn wenkbrauwen op. 'Dat is natuurlijk geen antwoord op mijn vraag.' Hij ging er niet verder op in, tot haar opluchting. 'Het is hier mooi. Ik ga dit landschap zeker schilderen,' zei hij.

'Is schilderen uw beroep?' vroeg ze.

'In de zomer verkoop ik mijn werk aan toeristen,' zei hij.

Emma dacht aan de schilders op de boulevards van Knokke en Blankenberge. 'Kunt u daarvan leven?' Ze kreeg alweer een kleur. Dit klonk wel erg nieuwsgierig.

Hij glimlachte echter en zei: 'In de herfst begin ik met cursussen. Ik geef les in schilderen en tekenen, en ook Franse les. Daar is nog altijd veel vraag naar in dit gebied. Velen willen toch de Franse taal machtig zijn, al is het hier niet de moerstaal. Trouwens, je mag wel tutoyeren, hoor.'

Emma begon het dekbed in de hoes te schuiven en hij schoot haar onmiddellijk te hulp. Emma vond dit altijd weer een soort gevecht. Ze was er inmiddels wel bedreven in, maar nu stond hij zo dicht bij haar dat ze een paar keer de hele zaak uit haar handen liet glippen. Ze slaakte een zucht van opluchting toen alles er weer netjes bij lag.

'Is dit wat je zo de hele dag doet?' vroeg hij. En toen hij haar blik zag: 'Sorry, ik bedoelde dit niet neerbuigend.'

'Zo klonk het anders wel,' zei ze koel. 'Ik studeer bedrijfskunde,' voegde ze eraan toe.

'Aha. Plannen om het bedrijf over te nemen? Je hebt

dus geen broers, begrijp ik?'

'Wie zegt dat geslacht anno nu nog uitmaakt. En trouwens, ik houd er niet van als mensen zo nieuwsgierig zijn.' Ze realiseerde zich dat ze met die laatste opmerking overkwam als een dorpsmeisje, zeer terughoudend en niet van deze tijd. Dat sprak haar terechtwijzing naar hem toe nogal tegen. Zo was ze normaal ook niet, maar deze man maakte haar erg onzeker.

'Er is een verschil tussen nieuwsgierigheid en belangstelling,' zei hij vriendelijk.

Ze antwoordde daar niet op en keek de kamer rond. 'Ik geloof dat alles in orde is?'

'O, zeker. En het zou helemaal volmaakt zijn als jij hier ook bleef slapen.'

Ze keek hem aan, zag de lichtjes in zijn ogen en begreep dat hij voortdurend bezig was haar uit te dagen. 'Dan moet ik u teleurstellen, want daar is weinig kans op,' zei ze en ze ging de kamer uit.

Ze hoorde hem hardop lachen. In de regel had ze geen enkele moeite plagerijen te beantwoorden, maar hij maakte haar zenuwachtig. Ze liep de trap af en begon beneden met het dekken van de tafel.

'Heb je nog gevraagd of hij blijft eten?' vroeg haar moeder.

'Nee. Ik denk dat hij ergens in het dorp gaat eten.'

'Het is toch een beetje raar als wij straks aan tafel gaan en hij vertrekt naar een restaurant.'

'Het is toch zijn eigen keuze om hier te slapen? Het is duidelijk genoeg aangegeven dat we geen diner serveren. Ik wil trouwens niet dat hij blijft eten.'

Sary keek haar scherp aan. 'Was hij vervelend?'

'Ach, vervelend... Hij flirtte, en ik houd daar niet van.'

Een beetje bezorgd keek Sary naar haar dochter. Ze was zo'n mooi meisje. Ze trok al jaren de aandacht van jongens en ook mannen. Daar moest ze toch zo langzamerhand aan gewend zijn. Misschien had ze er toch verstandiger aan gedaan hem onderdak te weigeren. En dan wisten ze nog lang niet alles over deze vreemdeling. In elk geval gedroeg hij zich erg vrij. Het leek of Emma een soort scherm voor zichzelf optrok...

Emma, ze was zo anders, met haar donkere haar en groene ogen. In de regel was ze niet bepaald bang om te zeggen waar het op stond. Maar soms dacht Sary dat ze haar dochter maar slecht kende. Sary kreeg het warm en blies een roodblonde krul uit haar gezicht. De bijzondere groene ogen had Emma wel van haar.

De gast had zijn haar geverfd, dat was haar direct opgevallen. Zoiets deden mannen hier niet en ook al had hij het zo te zien door een goede kapper laten doen, ze had toch wat uitgroei gezien.

Sary maakte een ongeduldige beweging, alsof ze alle gedachten wilde wegvagen. 'Als hij echt lastig is, kunnen we hem zeggen een ander adres te zoeken.'

'Ach, zo erg is het niet. Ik hoef toch niet met hem om te gaan.'

'Je kunt hem zeggen dat je gaat trouwen,' zei Sary.

'Mam, je weet dat ik daar nog niet aan toe ben.'

'Misschien niet. Maar Joost wel. Je moet hem niet aan het lijntje houden.'

'Aan het lijntje? We hebben het nooit over trouwen gehad. Ik mag hem erg graag, maar er is wel iets meer dan vriendschappelijkheid nodig voor een huwelijk.'

'Nou ja... Ik heb altijd gevonden dat jullie voor elkaar gemaakt zijn.'

'Mam, wil je er nu over ophouden?' Emma pakte borden en bestek en zette deze met meer lawaai dan nodig was op de tafel. Toen de man de keuken binnenkwam, zag ze dat zijn blik over de tafel ging alsof hij de borden telde.

‘We hebben er niet op gerekend dat je blijft eten,’ zei Emma tamelijk scherp. Ze hoorde haar moeder haar adem inhouden en begreep dat dit wel erg bot moest overkomen. ‘Je kunt in een restaurant in het dorp eten,’ verzachtte ze haar woorden.

‘Dat is ook prima,’ zei hij vriendelijk. ‘Maar voor vanavond wilde ik vragen of ik op mijn kamer kan eten. Ik betaal er uiteraard voor.’

‘Dat zal wel gaan,’ zei ze voordat haar moeder antwoord kon geven. Dit was in elk geval beter dan samen aan tafel. Ze had het gevoel dat ze geen hap door haar keel zou krijgen als hij bij hen aan tafel zat.

De man keek van de een naar de ander en Sary was even bang dat hij zou zeggen dat haar dochter totaal niet op haar leek. Ze had die opmerking al te vaak gehoord; het was steevast een van de eerste dingen die mensen zeiden als ze hen naast elkaar zagen.

Ze hoorde Gilles zijn klompen uitdoen bij de achterdeur. Hij ergerde zich ook altijd aan dergelijke opmerkingen. Ook Joost zou nu zo binnenkomen, maar haar gast maakte nog geen aanstalten om te vertrekken.

Toen de beide mannen binnen waren, stelde de gast zich voor. Hij noemde enkel de naam Jules, geen achternaam.

Joost gedroeg zich ook al afstandelijk. Koel zei hij: ‘Wij hebben elkaar al ontmoet.’ Even later legde hij met een bezitterig gebaar een arm om Emma’s schouders.

‘Ik ga maar eens. Eet smakelijk,’ zei Jules eindelijk.

Het bleef even stil nadat hij was vertrokken. Sary vroeg zich bezorgd af wat ze in huis had gehaald met deze Jules. Als haar gevoel haar niet bedroog, bracht hij problemen met zich mee. Ze was hem echter niets verplicht, stelde ze zichzelf gerust. Maar het zou de eerste keer zijn dat ze een gast vroeg om naar iets anders uit te kijken en dat wilde ze toch liever voorkomen. Eén ontevreden gast kon je reputatie ernstige schade toebrengen.

Terwijl Emma de vaatwasser inruimde, stond Joost ineens achter haar.

'Er is vanavond dansen in Sluis. Zullen wij erheen gaan?'

Ze draaide zich snel naar hem om. De blik in zijn ogen was hoopvol, maar tegelijkertijd onzeker. 'Oké, waarom niet,' zei ze luchtig. Ze glimlachte en zag zijn ogen oplichten. Het was zo duidelijk dat hij van haar hield.

En zij hield ook van hem. Als ze eraan dacht dat hij een ander zou hebben, kreeg ze het warm en koud tegelijk. Waarom kon ze hem dan geen zekerheid geven? Hevige verliefdheid bestond immers alleen in romantische verhalen en films. In alle opzichten paste zij bij hem. Ook als zij samen dit bedrijf zouden moeten overnemen. Hielden ze niet beiden van de natuur en van de dieren? Maar dat mocht de doorslag niet geven.

'Waar denk je zo lang over na?' vroeg hij zacht.

'Over wat ik aan moet trekken vanavond.'

'Je bent toch wel mooi, al ga je in een aardappelzak.'

Ze gaf hem een speelse duw. Op dat moment kwam Jules de keuken in.

'Hebben jullie iets samen?' vroeg hij rechtstreeks.

Joost fronste. 'Hoewel je er niets mee te maken hebt, is het antwoord ja.'

'Hoe laat moet ik vanavond terug zijn?' vroeg Jules aan Emma.

'Maakt niet uit, als je op je kamer eet. Wij eten rond halfzeven.'

'Goed, rond die tijd ben ik er wel. Mocht dat niet zo zijn, dan bel ik je wel. Mag ik je nummer?'

'Het huisnummer, bedoel je,' reageerde Joost scherp.

'Ja, uiteraard.' Jules haalde een agenda tevoorschijn en

keek Emma vragend aan. Hij negeerde Joost. 'Maar je mobiele nummer is ook goed,' zei hij vriendelijk.

Emma gaf hem echter het vaste nummer. Ze voelde de ergernis van Joost als een wolk om zich heen hangen. Toen Jules was verdwenen, keek ze Joost aan. 'Jij laat wel erg duidelijk merken dat je hem niet mag.'

'Ja. Ik weet niet wat het is. Maar die vent... ik vertrouw hem niet. Waar heeft hij jouw mobiele nummer voor nodig?'

Emma zei eerst niets. Zij voelde zich ook niet prettig bij Jules. Maar bij Joost was het iets anders. Het leek erop dat hij jaloers was.

'Waarom zeg je hem niet dat wij bij elkaar horen?' vroeg Joost nu.

Deze opmerking bevestigde haar vermoeden. 'Dat heb jij hem al laten weten,' zei ze koel. 'Hij is een gast, Joost, we kunnen op z'n minst beleefd zijn.'

Joost ging naar de deur en draaide zich daar nog even om. 'Hoe laat zal ik je komen halen?'

'Acht uur ongeveer.'

Hij knikte en verdween. Hij zou nu naar huis gaan om zich te verkleden. In de regel bleef hij op de boerderij, maar zijn nette kleren waren gewoon thuis bij zijn moeder. Ook op zondag ging hij meestal naar haar toe. Hij vroeg Emma vaak met hem mee te gaan, maar tot nu toe had ze geweigerd. Het leek dan allemaal zo serieus.

Joost zelf zag er ook tegen op, dat wist ze zeker. Hij was bang voor de scherpe tong van Leentje, zijn moeder, dat wist ze wel zeker. Zij was bepaald niet gemakkelijk en ook Emma kon vinnig uit de hoek komen. Hij moest er niet aan denken dat er een woordenwisseling zou ontstaan. Leentje en Emma kenden elkaar al wel, maar dat was allemaal oppervlakkig. Dit zou heel anders zijn.

'Ik ga vanavond dansen,' deelde Emma haar moeder mee toen deze de keuken in kwam.

'Zou je dat wel doen?'
Emma keek haar verbaasd aan. 'Ik ga met Joost,' verduidelijkte ze, met de gedachte dat het dan altijd goed was, waar ze ook heen ging.
Sary fronste haar wenkbrauwen. 'Aha. Dat verklaart een boel.'
'Wat bedoel je?'
'Die Jules vroeg of er in de buurt iets te doen was en ik zei dat er in Sluis een dansavond was. Hij wilde precies weten waar. Dus hij is daar waarschijnlijk ook.'
'Nou en? Hij is vrij om te doen wat hij wil.'
'Ik denk dat hij heeft opgevangen dat jij er ook heen gaat,' zei Sary zorgelijk.
'Ik ben met Joost,' zei Emma voor de tweede keer.
'Je bent in elk geval voorbereid,' reageerde Sary.
Emma verdween uit de keuken. Voorbereid? Waarop? Dat hij met haar zou willen dansen? Hij leek haar zo'n type dat zijn partner stevig vasthield. Dat zou Joost niet leuk vinden. Kon ze hem eventueel weigeren? Dat zou een belediging zijn. Haar hart bonsde eensklaps en ze wist niet of dat was bij de gedachte van Jules' armen om haar heen, of dat het idee haar juist tegenstond.
Feit was dat ze ineens niet meer wist wat ze moest aantrekken. Gek, want met Joost had ze daar nooit een probleem van gemaakt.
Uiteindelijk koos ze voor een simpel strak jurkje in bijna dezelfde kleur als haar ogen, en schoenen met hakken waar ze eerst enkele keren op heen en weer liep. Ze stonden leuk, maar echt prettig zaten ze niet.
Toen ze beneden kwam, zat haar vader ook binnen, wat niet vaak gebeurde.
'Houd je 't gezien voor vandaag?' vroeg ze.
'Je vader heeft hoofdpijn.' In haar moeders stem hoorde ze ongerustheid.
'Overdrijf nou niet. De zon was te warm, ik had een

pet moeten opzetten.'

De zon gaf nog niet echt veel warmte, meende Emma. Ze zweeg echter; een dergelijke discussie zou ze toch niet winnen. 'Je wordt een dagje ouder, pa,' plaagde ze.

'Ik loop ook al naar de zestig,' zei Gilles, alsof ze dat niet wist. 'Het zou mij geruststellen als je Joost niet langer aan het lijntje hield,' vervolgde hij.

Aan het lijntje? Begon hij ook al?

'Jij bent degene die het spul hier overneemt, als alles goed gaat. Joost zou een prima echtgenoot voor je zijn.'

'Telt het niet of ik van hem houd?'

'Maar dat doe je toch? In feite is hij al sinds de puberteit je vriendje.'

'Hij is meer als een broer voor me,' zei ze.

'Dat is een prima basis, is het niet, Sary?'

Deze knikte kort. Emma twijfelde of haar moeder het meende. Waren haar ouders als broer en zus? Iets van verliefdheid had ze nooit bij hen gezien. Maar zag je dat niet zelden bij mensen van die leeftijd? Zoals de ouders van Joost, toen zij nog samen waren, zo zou zij niet willen leven. Zijn moeder die alles regelde en zijn vader die zwijgend zijn gang ging en nooit naar zijn vrouw leek te luisteren. Nadat hij was overleden, had Emma nooit gemerkt dat Leentje hem echt miste, al zei ze soms wel dat ze zo alleen was. Maar dat was meer om een claim op Joost te leggen, dacht Emma soms.

'Wat ga je eigenlijk doen?' vroeg haar vader dan.

'Met Joost dansen,' was Sary haar dochter voor.

'Ben je daarom zo mooi aangekleed? Dan begin ik toch moed te krijgen. Ik hoor zijn auto.' Gilles stond op en tuurde door het raam. 'Ja hoor, hij is ook keurig in pak. Moeten wij vanavond een fles wijn opentrekken?'

'Pa, houd er nu eens over op.' Emma verliet de kamer om Joost binnen te laten.

'Zeg nou niets meer,' raadde Sary haar man. 'Ze is er

nog niet aan toe, zegt ze. Ze is ook nog geen twintig.'

'Die leeftijd had jij ook ongeveer,' herinnerde Gilles haar.

Sary zei niets. Ze hadden toen niet anders gekund omdat ze zwanger was. Haar dochter, haar enige dochter was geboren, en ze had daarna vurig gehoopt op enkele blonde zoons. Maar het was bij Emma gebleven en ze had een vermoeden dat een vruchtbaarheidsprobleem bij Gilles daarvan de oorzaak was. Maar ze had daar nooit met Gilles over durven beginnen. Er waren immers zo veel zaken waarover niet gepraat was. Gilles was een gesloten mens.

'Wat zie je er mooi uit,' zei Joost, even Emma's wang aanrakend. Het was een liefkozend gebaar en Emma lachte hem toe. Joost zou niet verder gaan dan dit zolang ze niet openlijk voor hem had gekozen.

'Laten we maar gelijk gaan,' stelde ze voor. Emma wilde niet dat ze weer allerlei opmerkingen te horen kreeg van haar vader.

Joost reed de auto het erf af en keek haar even aan voor hij de weg op draaide. 'Je wilt toch wel dansen?'

'Natuurlijk, anders had ik geen ja gezegd.'

Joost gaf een kneepje in haar hand en zweeg verder. Joost was prettig gezelschap. Hij was serieus, geen type dat maar een eind weg kletste. Het ging altijd ergens over bij Joost.

'Pa was moe,' zei ze plotseling.

'Gilles? Moe? Dat heb ik nog nooit van hem gehoord.'

'Hij is niet zo jong meer.'

'Zesenvijftig is niet echt oud.' Er verscheen een bezorgde frons op Joosts gezicht, maar hij zei er niets meer over.

Het was al druk in de danszaal. De muziek stond nog niet al te hard, dat kwam later pas. Er schuifelden wat paartjes over de dansvloer, maar de meesten zaten aan de bar of aan tafeltjes.

Joost loodste haar naar een plaats achterin en gebaarde dat hij wat te drinken zou halen. Ze keek hem na. Hij zag er knap uit in zijn donkere kostuum. De meeste gasten droegen gewoon een spijkerbroek. Joost was echter van mening dat hij zich netjes moest kleden als hij uitging.

'Zit je hier zomaar alleen?'

Ze verstijfde toen ze de stem hoorde. Maar ze had het kunnen weten, en misschien had ze wel onbewust op hem gewacht. Ze keek Jules vluchtig aan en hoopte maar dat hij haar kleur zou toeschrijven aan de temperatuur hier. 'Ik ben hier met Joost,' zei ze kortaf.

'Ja, ik zag hem. Ben je met hem verloofd?'

'Ik ga met hem trouwen,' zei ze tot haar eigen verbazing.

'Dan wordt hij dus de eigenaar van de Rijnsburg-dynastie. Geen wonder dat hij achter je aan zit. Hij zal vast niet de enige zijn.'

Verontwaardigd keek ze hem aan. 'Iets dergelijks komt in Joost niet op.'

'Vertel mij wat. Ben je echt zo naïef?'

'Dat jij zoiets denkt, zegt meer over jou dan over hem.'

Opgelucht maakte ze plaats toen ze Joost zag aankomen.

'Wil je dansen?' vroeg hij, Jules volkomen negerend.

'Straks.'

'Ze gaat met je trouwen,' zei Jules.

'Bemoei je met je eigen zaken,' zei Emma woedend.

Jules wendde zich tot Joost. 'Je hebt het wel goed uitgekiend, man. Een prachtig bedrijf en de mooie dochter erbij.'

'Zullen we naar buiten gaan en dit uitvechten?' Joost klonk volkomen kalm, maar zijn ogen flikkerden.

Jules maakte een afwerend gebaar. 'Iedereen mist hier blijkbaar gevoel voor humor. Wind je toch niet op, man.'

'Blijkbaar heb ik een ander soort humor dan jij erop nahoudt,' zei Joost op dezelfde toon.

Jules liep nu naar de bar en even later zag ze hem op de dansvloer. Een meisje keek stralend naar hem op en een keer lachte ze hardop. Hij was een knappe, charmante vent, dat kon Emma alleen maar toegeven. Maar wat was hij vervelend.

'Laten we dansen,' zei ze. Joost leek even te aarzelen, maar greep dan toch haar hand. Emma vroeg zich af of hij zich de mindere voelde ten opzichte van Jules. Hij had zeker niet de charme van de vreemdeling, maar een prettig karakter zag je niet direct aan de buitenkant.

'Heb je hem gezegd dat we hier gingen dansen?' vroeg Joost.

'Natuurlijk niet. Ik neem aan dat hij het heeft opgevangen toen we het er in de keuken over hadden.'

'Ik mag die Jules niet.' Hij klonk als een boos kind.

'Ik ook niet. En volgens mij hebben wij dat ook duidelijk laten merken.'

'Heb je hem gezegd dat we gaan trouwen?' vroeg hij zonder haar aan te kijken.

'Ja. Het leek de enige manier om hem kwijt te raken.'

'Dus je meende het niet.'

'Laten wij het daar nu niet over hebben.'

Even later gingen ze zitten en direct kwam Jules naar hen toe. Emma zag dat Joost zijn vuisten balde en kalmerend legde ze haar hand op de zijne.

'Sorry, ik geloof dat ik een beetje onhebbelijk was.' Jules was weer een en al charme. 'Wil je mij vergeven en als teken daarvan met mij dansen, Emma? Vind je dat goed, Joost?'

'Dat moet Emma zelf beslissen,' zei Joost kalm.

Emma stond op met het plan hem nu echt te zeggen hoe ze over hem dacht. Hij gedroeg zich nu echter uiterst hoffelijk.

'Het spijt me echt,' zei hij opnieuw.
'Wij gaan zo niet met elkaar om,' antwoordde ze kortaf.
'Dat heb ik inmiddels begrepen. Toe, wees niet boos.'
Ze knikte kort en stemde in met een dans. Hij danste voortreffelijk en ze kon niet helpen dat ze toch een beetje gecharmeerd raakte. Hij bracht haar daarna keurig naar haar plaats terug, bedankte haar, knikte naar Joost en verdween.
'Hij valt misschien toch wel mee,' zei Emma.
'Hij heeft vele gezichten,' antwoordde Joost.
De avond verliep verder zonder incidenten. Jules kwam hun richting niet meer uit. Emma volgde hem echter met haar blik, beter gezegd: ze kon haar ogen niet van hem af houden. Eén keer ving hij haar blik op en knipoogde.
'Laten we naar huis gaan,' zei Emma.
'Nu al?' Maar Joost vroeg niet verder en even later zaten ze in de auto.
'Het komt door hem dat je zo vroeg weg wilt,' zei hij voor hij wegreed.
'Ik voel me niet echt op mijn gemak als hij in de buurt is,' zei ze eerlijk.
'Ik hoop dat je moeder hem zegt dat hij kan vertrekken.'
'Het zou voor het eerst zijn dat ze zoiets doet. En zo onbeleefd zal ze vast niet zijn,' meende Emma. 'We moeten ons niets van hem aantrekken.'
'Hoe durft hij te beweren dat ik voor jou kies vanwege de boerderij?' vroeg Joost zich hardop af.
'Is dat dan niet zo?' plaagde Emma.
Hij remde af, reed naar de berm en zette de motor af. 'Trouw met me, Emma.'
'Het is al zo laat op de avond. Dat krijgen we niet meer geregeld.' Ze wist geen ander antwoord dan hem een

beetje te plagen.

'Je wilt mij niet serieus nemen,' zuchtte hij. Hij raakte haar wang aan en onverwacht dacht ze: dóé dan iets, man. Omhels me, kus me voor mijn part. Jules zou daar niet lang over denken. Ze schrok van die gedachte en keek Joost aan. En toen gebeurde het inderdaad. Hij zag die groene ogen, haar ietwat mysterieuze blik. Hij trok haar naar zich toe en kuste haar.

Even klemde ze zich aan hem vast, trok zich dan terug. 'Laten we naar huis gaan,' zei ze voor de tweede keer die avond.

'Ben je boos?' vroeg hij.

Dat was al de tweede persoon die dit vanavond aan haar vroeg. 'Ik ben niet boos,' zei ze rustig.

Hij startte opnieuw de auto en reed voorzichtig de weg op. Hij was altijd voorzichtig. Ze kon op hem vertrouwen, hij zou haar nooit bedriegen. Ze hield van hem, daar was ze zeker van. Alleen ze was niet verliefd op hem. Daarvoor kende ze hem misschien te goed. Hij werkte al bij hen vanaf dat hij zestien jaar was en zij twaalf. Hij was een soort broer voor haar. Een betere man kon ze zich niet wensen.

'Wij zijn nog zo jong,' zei ze eindelijk. 'We moeten nog wat van het leven genieten.'

'Dat klinkt net alsof er na een huwelijk niets meer overblijft wat het leven de moeite waard maakt.'

Ze gaf geen antwoord. Joost was soms wat zwaar op de hand.

'Zou jij kinderen willen?' vroeg hij plotseling.

'Dat is wel een grote stap ineens,' antwoordde ze enigszins verbaasd. Ze hadden het daar nog nooit over gehad.

'Ik zou het je vader zo gunnen.'

'Mijn vader?'

'Hij heeft mij weleens verteld hoe graag hij meer

kinderen had gewild.'

'Hij beschouwt jou zo'n beetje als zijn zoon,' merkte ze op.

'Jouw vader was graag de patriarch van een grote familie geweest.'

'En wilde jij die taak nu op je nemen?' Het klonk een beetje spottend, besefte ze. Maar het was ook allemaal zo zwaarwichtig.

'Ik slaap vannacht thuis. Ik kan morgen niet in dit kostuum achter de koeien,' begon Joost toen ze bij de boerderij aangekomen waren en hij de motor afgezet had.

'Nee, waarschijnlijk slaan ze dan op hol.'

Hij trok haar naar zich toe. 'Je kunt het niet laten, wel? Je drijft overal de spot mee.' Hij kuste haar en ze leunde even tegen hem aan. Het was zo vertrouwd, ze voelde zich veilig bij hem.

'We praten er nog wel over,' beloofde ze. 'Een beetje uitstel is nog geen afstel.'

Joost zei niets meer en liet Emma uitstappen. Hij wilde haar zeker niet onder druk zetten. Hij begreep niet waarom hij ineens het idee had dat hij haast moest maken. Hij bereikte alleen maar het tegenovergestelde. Het kwam allemaal door die vent.

Joost startte zo onbesuisd de auto dat de motor een keer stilviel. Hij haalde diep adem en reed toen kalmer weg. Hij had wel gezien hoe die kerel naar Emma keek. En het was hem opgevallen dat Emma die man ook interessant vond. Bij Jules vergeleken was hijzelf natuurlijk maar een saai persoon.

De zorgelijke trek was nog niet van zijn gezicht verdwenen toen hij de auto parkeerde voor zijn ouderlijk huis. Alles was gelukkig donker. Zijn moeder had soms de neiging om op te blijven en te vragen hoe het was geweest. Hij had absoluut geen zin om verslag uit te brengen. Ze bedoelde het vast goed, meende Emma.

Maar Emma kende haar schoonmoeder niet echt. Als dat zo was, kon het weleens een reden zijn om af te haken.

Hij sloot de auto af, geërgerd door zijn eigen gepieker. Iedere vrouw die ging trouwen kreeg ten slotte te maken met een schoonmoeder. Hij zag werkelijk overal beren op de weg. Terwijl hij vanavond toch een stukje verder was gekomen, naar zijn idee.

2

Tot Emma's verbazing was haar moeder nog op. 'Het is nu toch wel kinderbedtijd,' plaagde ze.

'Ik was benieuwd hoe het geweest is.'

'Hoe het geweest is? Het was gewoon een dansavond.'

'Nou, zo vaak ga je niet uit. Was hij er ook?'

'Je hebt Joost zelf gezien toen hij me kwam halen,' zei Emma, haar moeder opzettelijk verkeerd begrijpend.

'Je weet best dat ik Joost niet bedoel,' zei Sary dan ook.

'Ja, mam, hij was er ook. Ik heb nog heel even met hem gedanst.'

'Ik hoopte zo dat Joost en jij eindelijk... Je vader maakt zich ongerust. Hij is niet in orde...'

Emma wilde niet zeggen dat dit op chantage ging lijken. 'Het komt heus wel goed tussen Joost en mij,' zei ze niettemin. 'Maar toch zou ik willen dat ik een broer had.'

'Ik ook,' zei Sary zo heftig dat Emma haar verbaasd aankeek. 'Vat het niet verkeerd op. Ik bedoel, het zou zo veel gemakkelijker zijn voor jou. Je moet nu het gevoel hebben dat er geen andere weg is dan met Joost te trouwen. En dat mag natuurlijk niet. Je vader heeft het er regelmatig over. Hij is bang dat het hele bedrijf in vreemde handen komt.'

'Daar moet ik ook niet aan denken,' zei Emma. 'Het komt heus wel goed.'

Eenmaal in bed kon ze niet in slaap komen. Ze begreep de zorgen van haar ouders heus wel. Maar waar nou ineens die onrust vandaan kwam? Was er iets mis met haar vader? Ze zou morgen met hem praten, besloot ze.

Toen dwaalden haar gedachten af naar de afgelopen avond. Onvermijdelijk dacht ze ook aan Jules. Zou hij al in zijn kamer zijn? Hij had een meisje versierd. Hij zou toch wel snappen dat hij hier geen vrouw mee naartoe kon nemen? Ze dacht ook aan Joost in zijn keurige, donkere kostuum. Hij had er knap uitgezien en deed in niets onder voor Jules. Het was alleen zo: ze kende Joost te goed. Er was geen spanning tussen hen tweeën.

Uiteindelijk viel ze in slaap, om wakker te schrikken doordat er op haar deur werd geklopt. Het was nog geen zes uur en hoewel ze altijd vroeg opstonden, hoefde Emma nooit gewekt te worden.

Sary was in haar ochtendjas en Emma voelde de spanning in haar lijf toenemen.

'Er is iets met je vader.' Sary's stem klonk alsof ze buiten adem was.

'Wat bedoel je? Kan hij niet slapen?' Alsof haar moeder het zou komen vertellen als Gilles wakker lag.

'Dat is het niet alleen. Kom je even mee?'

Emma schoot haar bed uit, trok in één beweging haar duster aan en volgde haar moeder naar de grote slaapkamer.

Gilles schudde zijn hoofd en zei: 'Niet zo veel drukte maken.' Althans, dat maakte ze op uit zijn woorden. Hij praatte erg onduidelijk en ze zag nu ook dat zijn arm op een vreemde manier naast hem lag. Het leek alsof die arm niet bij zijn lichaam hoorde.

'Heb je pijn, pa?' vroeg ze.

Hij schudde weer zijn hoofd, wees met zijn goede hand naar de andere.

'Hoelang heb je dat al?' vroeg ze.

'Nog maar net,' antwoordde Sary voor hem.

'We moeten een dokter bellen,' besliste Emma.

Haar moeder sprak haar niet tegen. Emma vermoedde wat er aan de hand was, ze had vorig jaar een EHBO-cursus gevolgd.

'Ik ga bellen,' zei Sary nu.

Emma bleef bij haar vader. 'Je bent vast erg geschrokken,' zei ze.

'Jullie maken zo'n drukte.' Gilles praatte al beter dan daarnet, constateerde Emma opgelucht.

De dokter was er binnen een kwartier en in die tijd knapte Gilles zienderogen op. Toen de dokter arriveerde, zat hij alweer overeind en probeerde hij zijn vingers te bewegen.

'Ik weet niet wat ik heb, dokter,' zei Gilles tegen de arts.

'Het is te hopen dat ik het dan weet,' reageerde de arts gemoedelijk. Hij trok er een stoel bij en begon vragen te stellen.

Gilles praatte nog steeds niet echt gemakkelijk, zocht soms naar een woord, maar het was toch al een stuk verbeterd. Hij vertelde: 'Ik haalde gisteren wat balen hooi van de schuurzolder en van het ene op het andere moment was ik doodmoe. Het leek of ik geen kracht meer in mijn lijf had. Ik dacht: ik heb mezelf zeker overbelast.'

De dokter nam zwijgend de bloeddruk op. 'Ik denk aan een TIA,' zei hij. 'Het lijkt me verstandig als je even naar het ziekenhuis gaat voor een scan.'

'Dit komt toch wel weer goed?' vroeg Sary.

'Daar lijkt het wel op. Maar honderd procent garantie kan ik niet geven. Je zult het in elk geval wat rustiger aan moeten doen.'

'Ik ben pas zesenvijftig,' protesteerde Gilles.

'Daarom zal dit waarschijnlijk good aflopen. Je hoeft niet met de ambulance.'

'Nee, dat mag ik hopen,' mopperde Gilles.

'Een van jullie kan wel rijden. Ik zal bellen dat jullie eraan komen,' regelde de dokter.

'Wat een drukte allemaal,' bromde Gilles voor de derde keer die ochtend.

De dokter wachtte tot Gilles was opgestaan en nam toen opnieuw de bloeddruk op.

'Moet ik helpen met aankleden?' vroeg Sary aarzelend.

'Maak het nou! Dat kan ik zelf wel. Behandel me niet als een gehandicapte,' zei Gilles kribbig.

Sary ging de kamer uit en Emma zag dat ze moeite had met haar tranen.

'Het is heel vervelend, maar je vrouw kan het niet helpen,' zei de dokter kalmerend tot Gilles. Hij ging de kamer uit en vond Sary op de gang. 'Het komt wel goed. Het is moeilijk voor hem om dit te verwerken. Trek je er niets van aan als hij onredelijk is. Dat hoort erbij.'

'Hij had wel dood kunnen zijn.'

'Ja, maar dat is niet gebeurd. Hij krijgt nu bloedverdunners. Er is een goede kans dat dit nooit weer gebeurt.'

Emma kwam nu ook de gang op. 'Pa wil zelf rijden,' zei ze.

'Dat is niet verstandig.' De arts ging de slaapkamer opnieuw binnen.

'Waarom is hij zo dwars?' zuchtte Sary.

'Mam, hij denkt dat hij invalide is en dat ook zal blijven,' zei Emma. 'Ik rijd de auto vast uit de garage.'

Emma liep naar buiten en ademde diep de frisse morgenlucht in. Het was koud, een lage mist hing over de velden. Ze hoorde dat de keukendeur werd geopend, maar zag niemand. Als haar vader nu maar niet per se toch wilde rijden.

'Wat doe jij zo vroeg buiten? En nog wel in nachtkleding en op blote voeten,' klonk het plotseling.

Natuurlijk. Hun gast moest zich er weer mee bemoeien. Maar niettemin had hij gelijk. Ze liep nog in haar nachtkleding en had het niet eens in de gaten. Ze stapte in de auto en reed de garage uit. Daarna stapte ze uit en botste ze bijna tegen Jules aan.

'Wat is er aan de hand? Kan ik helpen?' vroeg hij.

'Mijn vader moet naar het ziekenhuis,' antwoordde ze kortaf.

'Wie van jullie gaat er rijden?' vroeg hij zakelijk.
'Dat zal ik zelf zijn, als ik mijn vader tenminste kan tegenhouden om achter het stuur te kruipen.'
'Laat mij maar.'
Waarom had ze nu het gevoel dat hij zich opdrong, in plaats van dit te zien als een behulpzaam gebaar? Het zou wel gemakkelijk zijn, gaf ze in stilte toe. Joost was er nog niet en de koeien moesten ook worden gemolken. Het werk moest immers gewoon doorgaan. En als hij dan toch wilde helpen, kon hij beter autorijden dan koeien melken. Ze moest bijna lachen bij het idee. Alleen viel er nu weinig te lachen. Misschien zou haar vader weer helemaal opknappen. Maar de kans dat hij niet meer werd als voorheen, zat er ook in.
'Je leven kan zomaar ineens in puin vallen,' zei Jules alsof hij wist wat Emma dacht.
Ze antwoordde niet. Hoewel hij natuurlijk gelijk had, had ze geen enkele behoefte aan een dergelijke opmerking. Ze liep naar binnen en liet hem staan. Ze wist dat ze zich nu onbeleefd gedroeg, maar hij maakte haar onrustig elke keer als ze hem zag.
Haar vader zat bij de keukentafel, terwijl de dokter juist de telefoon neerlegde. 'Alles is geregeld. U wordt opgevangen in het ziekenhuis,' zei de laatste. Hij stond op en maakte aanstalten om te vertrekken.
'Moet ik daar blijven?' vroeg Gilles.
'Misschien tot morgen. Ze moeten eerst uitzoeken waar het vandaan komt.' De dokter nam afscheid en even daarna hoorden ze de auto starten.
'Jules wil wel rijden,' zei Emma.
'Waar is dat goed voor?' bromde Gilles. 'Ten eerste kan ik zelf rijden. En Joost is er straks ook, of een van jullie.'
'Er moet iemand hier zijn voor de dieren,' zei Sary, die nu ook beneden kwam.
'Ik ga me ook aankleden.' Emma nam snel de trap en

besloot de douchebeurt tot later uit te stellen. Als Joost nu maar gauw kwam. Hij moest ook worden ingelicht. Dat wilde ze niet aan Jules overlaten. Die was al te veel van alles op de hoogte. Als hij hen al naar het ziekenhuis zou rijden, dan mocht hij mooi in de auto blijven zitten tot ze terug waren.

Ze was snel weer beneden en zag de lichten van Joosts auto. Ze ging naar buiten en toen ze zijn vertrouwde gezicht zag, kwamen de tranen.

Hij legde zijn armen om haar heen. 'Liefje, wat is er aan de hand?'

Ze voelde zich omsloten door zijn warme stem en zijn stevige armen. 'Het gaat niet goed met pa,' zei ze zacht.

'Wat is er met hem?'

'De dokter denkt aan een TIA. Hij moet naar het ziekenhuis.'

'Dan moet er een en ander worden geregeld. Kan ik hem nog spreken?'

'Hij is binnen. Ik ga hem zo wegbrengen. Hij wil niet.'

'Dat is een goed teken. Dan voelt hij zich niet al te ziek.'

'Het kan zich nog een keer voordoen.' Haar stem beefde.

'Daarom is het goed dat ze hem onder controle houden. Ik ga naar hem toe. Het is belangrijk dat ik het werk met hem bespreek.'

Dat was weer echt Joost. Hij wilde voorkomen dat Gilles zich buitengesloten voelde.

'Het lijkt me verstandig dat ik jullie breng,' zei Jules toen Joost buiten gehoorsafstand was. Hij was in de buurt blijven staan en Joost had hem niet eens gezien.

'We kunnen onszelf wel redden,' antwoordde ze koel. Nu Joost er was, had ze weer het prettige gevoel dat ze Jules niet nodig had. 'Ik weet alleen niet zeker of we bijtijds terug zijn voor je ontbijt.'

'Dat maakt niet uit. Ik kan ook voor mezelf zorgen.'
Zou hij straks in de keuken zelf zijn ontbijt klaarmaken? Ze negeerde hem verder en ging naar binnen. Haar ouders zaten nog bij de tafel. Joost had ook een stoel bijgetrokken.
'Misschien is het beter als jij thuisblijft, Emma. Dan kun jij voor onze gast zorgen,' zei Sary.
'Ik denk er niet aan. Hij wacht maar. Dit is overmacht.'
'Het is nog erg vroeg. Waarschijnlijk slaapt hij nog,' zei Joost.
Emma maakte hem niet wijzer. 'Kom, pa, we gaan.' Ze stak hem haar hand toe.
Gilles keek ernaar alsof het een lastig insect was. Hij stond op en liep met rechte rug naar de deur, wendde zich daar nog even tot Joost. 'Je weet wat er moet gebeuren. Ik ben zo terug.'
'Daar gaan we van uit,' reageerde Joost rustig.
Emma wierp hem een dankbare blik toe. Wat zouden we zonder Joost moeten beginnen, schoot het een moment door haar gedachten.
Even later ging Sary achter in de auto zitten en schoof Emma achter het stuur met haar vader naast haar. Tot haar opluchting maakte hij geen opmerking meer over zelf rijden.
Bij het hek stond Jules. 'Wat doet die vent daar,' mopperde Gilles. 'Wil hij per se zien hoe ik word weggebracht?'
'Zo veel drukte in de vroege morgen valt nu eenmaal op,' zei Sary achter hem. 'Je kunt zoiets moeilijk negeren.' Haar stem trilde en Emma dacht dat ze de schrik nog niet te boven was.
'Die drukte was niet nodig geweest. Er is niks aan de hand,' zei Gilles koppig.
Niemand antwoordde. Het was immers nog volstrekt onduidelijk hoe dit alles zou aflopen.

Het was nog niet echt druk op de weg. Emma had de route naar het ziekenhuis diverse keren gereden, ze hoefde niet op de borden te letten.

In het ziekenhuis kwam er direct een verpleegkundige naar hen toe. 'U moet meneer Rijnsburg zijn.'

'Ben ik nu al berucht?' bromde Gilles.

De zuster glimlachte. 'De dokter heeft al laten weten dat u zou komen. Loopt u maar mee. Voorlopig krijgt u een kamer alleen.'

'Wat dacht u dan? Dat ik met een stel zieke personen in één bed ga liggen? We zijn hier niet in India.'

'Een privékamer gebeurt niet zo vaak,' wist Emma.

'Nou, als ik...' Gilles zweeg toen de zuster een deur opende.

'Kleedt u zich maar uit. De dokter zal zo wel komen. Uw familie mag bij u blijven.'

'Me uitkleden? Het gaat om mijn hoofd,' zei Gilles verontwaardigd.

'Pa, werk nou even mee. Hier is je pyjama, wij gaan wel even weg,' zei Emma.

'Jullie komen wel weer terug, neem ik aan.'

Hieruit begreep Emma dat haar vader niet zo zelfverzekerd was als hij zich voordeed.

Even later vonden ze Gilles terug, liggend in bed, verbonden met een infuus. Zijn gezicht had een gemelijke uitdrukking.

'Je moet bloemen meebrengen,' zei hij tegen Sary. 'Dat hoort zo als je op ziekenbezoek komt.'

Sary haalde diep adem. 'Het gaat naar omstandigheden goed met je. Ik ga een tijdje naar huis. Joost staat er alleen voor.'

'Goed. Zo je wilt. Ik wil dat Emma hier blijft.'

Niemand reageerde hierop en Emma liep even met haar moeder mee de gang op.

'Blijf jij nou maar. Je kunt de bus nemen,' zei Sary.

‘Goed. En trek je niets aan van zijn gemopper. Deze toestand grijpt hem nogal aan, vrees ik.’

Sary zei nog steeds niets en Emma zag dat haar moeder vocht tegen haar tranen. Ze drukte een snelle kus op haar wang. ‘Tot straks, mam.’

Toen Sary buiten kwam, liep Jules haar tegemoet. ‘Ik dacht dat je misschien vervoer nodig had,’ zei hij, alsof het de gewoonste zaak van de wereld was dat hij daar stond. ‘Maar voel je niet verplicht.’

Sary besloot niet kinderachtig te doen. Waarom ook niet? Ze had geen geldige reden om te weigeren. Emma had de sleutel niet teruggegeven, dus zij kon straks zo wegrijden. ‘Goed dan,’ zei ze mat.

‘Is je man er slecht aan toe?’ vroeg hij toen ze naast hem zat.

‘Ik geloof dat het wel meevalt.’

‘Maar hij zal toch een stapje terug moeten doen. Dus nu zal snel gebeuren wat jullie zo graag willen. Jullie dochter trouwt met de knecht.’

Ze keek van opzij naar hem. ‘Waar bemoei jij je eigenlijk mee?’

‘Ach, ik stel gewoon belang in jullie situatie. En ik vind het sneu dat zo’n mooie meid niet mag trouwen met wie ze wil.’

‘Emma wordt op geen enkele manier onder druk gezet,’ zei Sary stug.

‘Denken jullie niet dat die Joost eropuit is om de boerderij over te nemen?’

‘Ik wil liever uitstappen.’ Sary bewoog haar hand naar het portier.

‘Het spijt me. Ik praat weer te veel. Maar ik maak me gewoon zorgen. Ik ben alleen bang dat het net zo zal gaan als bij jou.’

‘Waar heb je het over?’

‘Dat weet je best, Sary.’

‘Houd hiermee op,’ zei ze met overslaande stem.

Jules knikte alleen. Hij begon over de omgeving en hoe mooi het landschap was om te schilderen.

Sary reageerde nauwelijks. In zekere zin had Jules gelijk. Ze zaten goed in de problemen als Gilles niet meer op volle kracht kon werken. Maar ze moest zich geen zorgen maken voor het zover was.

‘En wat nu?’ vroeg Gilles toen Emma een stoel bij het bed schoof.

‘Afwachten wat het onderzoek oplevert.’

‘Het volgende stadium is natuurlijk een hersenbloeding,’ zei hij, alsof hij haar niet had gehoord.

‘Dat hoeft helemaal niet. Je krijgt nu medicijnen om iets dergelijks te voorkomen.’

Gilles sloot even de ogen en het viel Emma op dat hij er vermoeid uitzag.

‘Veel mensen die iets dergelijks hebben meegemaakt als jij nu hebt gehad, kunnen na enige tijd weer normaal functioneren,’ zei ze.

‘Als ze een kantoorbaan hebben misschien. Emma, ik wil dat je er nu haast achter zet.’

‘Waarachter?’ Haar hart bonsde in haar keel, want ze wist heel goed wat haar vader bedoelde.

‘Trouw met Joost.’ Haar vaders stem had even weer de bekende autoritaire klank.

‘Dat kan ik nu nog niet regelen. Ik wil eerst zeker van mezelf zijn.’

‘Hoe zeker wil je zijn?’ klonk het kribbig. ‘Een betere echtgenoot kun je niet vinden.’ En dan half smekend: ‘Emma, als ik een zoon had, zou ik je dit niet vragen.’

Ze antwoordde niet, dacht: het is nog maar de vraag of een zoon hiervoor zou voelen. Het is niet meer zo vanzelfsprekend als vroeger dat een zoon het bedrijf overneemt. Ze keek naar haar vader, die weer was gaan lig-

gen en de ogen had gesloten.
'Je moet dankbaar zijn,' mompelde hij.
Ze zei niets. Dankbaar? Waarvoor? Dat ze met Joost mocht trouwen? Hij was tenslotte maar een knecht.
'Dat ik jou en Joost mijn levenswerk toevertrouw,' gaf Gilles zelf het antwoord. 'Je bent niet eens mijn dochter.'
'Wát zeg je?' Emma kwam overeind.
'Ik zei iets wat ik beter voor me had kunnen houden. Wat zei ik ook weer?'
'Dat ik niet jouw dochter ben.'
'Ach, het maakt toch geen verschil.' Hij mompelde nu en Emma zag dat hij bijna in slaap was. Had de TIA toch zijn hersens aangetast? Wist hij niet meer wat hij zei? Of bedoelde hij dat ze totaal niet op hem leek? Misschien was het dat. Al had het een stuk serieuzer geklonken. Kon ze hier met haar moeder over praten? Maar Sary zou zich heel erg ongerust maken als ze dacht dat Gilles in de war was. Want dat moest wel de reden zijn dat hij iets dergelijks zei.
Ze zag dat haar vader nu diep in slaap was en verliet zachtjes de kamer. Ze zei tegen de zuster, die net naar binnen wilde gaan, dat ze eerst naar huis ging om te douchen en te ontbijten.
'Ga gerust,' knikte deze. 'Halverwege de morgen krijgt hij nog wat onderzoekjes. Als jullie na de middag terugkomen. weten we meer.'
Even later zat Emma achter het stuur van haar auto. Ze verdiepte zich niet in de vraag hoe haar moeder was thuisgekomen. Allerlei andere gedachten dwarrelden door haar hoofd. Wat kon haar vader bedoeld hebben met die opmerking? Waarschijnlijk niets serieus, maar toch bleef het door haar hoofd spoken. Daarnaast, als haar vader echt rustiger aan moest doen, dan zou er toch op z'n minst een vaste knecht bij moeten komen. Zou dat moeilijk zijn voor Joost? Hij was geen autoritaire figuur,

maar hij was wel gewend veel zelf te regelen. Ook als ze met hem trouwde veranderde dat niets aan het feit dat hij het niet zou redden met alleen wat losse krachten. Zij mocht dan met veel zaken helpen, vooral wat het vee aanging, maar ze was toch geen volwaardige kracht.

Ineens merkte ze dat mensen naar haar keken. Hoelang zat ze hier al in haar auto op het parkeerterrein van het ziekenhuis? Ze startte en reed nu snel weg.

Thuis vond ze haar moeder in de keuken en ze vertelde haar wat de zuster had gezegd.

'En hoe is het met hem?' vroeg Sary. 'Maakt hij zich zorgen over hoe alles hier verder moet?'

'Hij zei dat ik met Joost moet trouwen. Maar dat is geen nieuws, wel?'

'Het zou zeker een goede keus zijn. Jullie zouden hier kunnen blijven wonen. Met een andere man kom je misschien in de stad terecht. Maar of het een echte oplossing is? Je zou enkele broers moeten hebben.'

Emma dacht weer aan hetgeen haar vader had gezegd. 'Heb je daar nog altijd last van? Dat je geen zoons hebt?' vroeg ze.

'Last? Ach, dat niet. Maar het zou bepaalde zaken wel een stuk eenvoudiger maken.' Sary haalde haar schouders op. 'Er is niets aan te veranderen. Ik ben blij dat ik jou tenminste heb.'

Emma was even verbaasd. Het was niet Sary's gewoonte zich op een dergelijke manier te uiten.

'Pa zei: je bent mijn dochter niet,' zei ze dan toch, maar ze had daar onmiddellijk spijt van.

Op de heftige schrikreactie van haar moeder was ze niet voorbereid. Sary schoot overeind uit haar stoel en werd spierwit. Haar handen klemden zich om de tafelrand. 'Hoe komt hij daarbij?' fluisterde ze

'Ach, hij sliep half,' antwoordde Emma, die ineens niets meer wilde horen.

'Ja, dat moet het wel geweest zijn.' Sary ging langzaam weer zitten. 'Jules heeft me naar huis gebracht,' begon ze dan over iets anders. 'Hij stond bij het ziekenhuis. Raar hè? Ik denk dat hij ons gevolgd was of zo. Ik was zo blij dat ik niet met de bus hoefde, want jij was vergeten je autosleutel mee te geven. Daarom stapte ik zomaar bij hem in. Ik weet niet of dat wel zo slim was. Hij begon over jou en een eventueel huwelijk met Joost. Hij beweerde dat Joost eropuit is om de boerderij over te nemen.'

'Datzelfde zei hij tegen mij. Mam, kun je hem niet wegsturen?'

'Hij stelde voor om op de boerderij te helpen zolang je vader ziek is.'

'Wat? Je hebt toch geen ja gezegd, hoop ik?'

'Ik heb niets gezegd. Als ik dit aan je vader voorstel, voelt hij zich opzijgeschoven. Maar één ding is zeker: als jij definitief nee zegt tegen Joost, zal hij hier niet blijven.'

Emma ging langzaam zitten. 'Heeft Joost dat gezegd?'

'Nee. Maar dat kun je toch wel begrijpen?'

'Ik voel me heel erg onder druk gezet. Dit lijkt verdacht veel op chantage.'

'Je blijft ook maar twijfelen. Wat vond je nu echt van je vader?' pakte Sary een ander onderwerp.

Emma gaf niet direct antwoord. Wat vond ze van haar vader? Langzaam formuleerde ze: 'Hij is anders dan anders. Hij leek vermoeid en onzeker. Hij is natuurlijk heel erg geschrokken. Maar dat is te begrijpen als je van het ene op het andere moment in een ziekenhuisbed terechtkomt.'

'Denk je dat hij nog zal kunnen werken?' drong Sary aan.

'Hoe moet ik dat weten?' Emma klonk kribbig. Er kwam ook ineens zo veel op haar af.

Sary stond op. 'Ik ga koffiezetten. Wil je Jules roepen?

Ik moet even met hem overleggen.'

Emma reageerde niet op dit laatste. Ze stond op en ging op zoek naar Joost. In de regel had Joost overleg met Gilles. Hij kreeg dan instructies van Gilles om een en ander met het personeel door te nemen. Haar moeder was toch niet van plan om dit nu met Jules te overleggen? Ze liep langzaam. Ze zag ertegen op om Joost onder ogen te komen. Als hij nu maar niet óók begon met vragen over een huwelijk. Ze had geen antwoorden. Nu nog niet. Het leek wel honderd jaar terug, de tijd dat boerendochters werden uitgehuwelijkt.

Misschien wilde ze wel met Joost trouwen. Maar ze wilde dat wel zelf beslissen.

Joost was in de schuur bezig met het voeren van de dieren. De paarden liepen al buiten, maar getraind als ze waren bleven ze nog in de buurt. Ze schraapten met hun hoeven over de stenen, een teken van ongeduld.

'Zal ik even gaan?' stelde Emma voor. Joost knikte en Emma liep voor de twee dieren uit naar het weiland. De koeien zouden binnenkort volgen, maar zouden 's nachts nog worden binnengehaald. Zou Jules dat kunnen? vroeg ze zich af. Misschien was hij wel bang voor de grote dieren. Hij was tenslotte een stadsmens.

De paarden liepen gewillig met haar mee, ze hinnikten naar een buurtgenoot die in de wei naast de hunne liep. Toen ze terugkwam. stond Jules in de deuropening van de schuur. Was hij van plan overal op te duiken waar zij liep?

'Ik stelde Joost voor hem te helpen, maar hij weigerde,' klonk het enigszins verongelijkt.

'Joost zal wel het beste weten wat verstandig is,' zei ze kalm.

'Verstandig? Ik bood enkel mijn hulp aan.'

'Je kwam hier om te schilderen,' herinnerde ze hem.

'Heb je trouwens al ontbeten?'
'Daar heeft je moeder voor gezorgd.'
'Misschien kun je dan nu je eigen plannen maken,' zei Joost. Hij passeerde hen en liep naar het woonhuis.
'Wat is hij toch een hork,' zei Jules. 'Hoe kun je ook maar één oog aan hem wagen? Zo'n mooi meisje als jij.'
'Ach ja, wij boeren zijn een raadsel voor mensen uit de stad.' Ze liet hem staan en volgde Joost naar binnen. Ze schaamde zich een beetje voor haar gedrag, maar hij lokte dat iedere keer uit.
'Ik zou willen dat hij vertrok,' zei ze eenmaal binnen tegen haar moeder.
'Ik kan hem niet wegsturen, Emma. Hij is een gast. Binnenkort hebben we deze extra verdienste misschien hard nodig.'
'Zo'n vaart zal het niet lopen,' reageerde Joost rustig. 'Ik zou vandaag bij De Ridder een merrieveulen gaan bekijken. Gilles wilde verder fokken. Nu de zaken wat onzeker lijken is het misschien een verstandige keus. Als hij wat minder zwaar werk kan doen, zou hij zich met de paardenfokkerij kunnen bemoeien. Gilles is goed in het trainen van paarden.'
'Jij denkt dus dat Gilles niet meer beter wordt?' vroeg Sary verontrust.
'Zo bedoel ik het niet.' Joost maakte een afwerend gebaar met zijn handen. 'Het zou alleen wat langer kunnen duren dan we nu denken.'
'Vind jij dat Jules ons moet helpen?' vroeg Sary.
Het viel Emma op dat haar moeder nu al bepaalde beslissingen aan Joost overliet.
'Ik mag hem niet,' zei Joost eerlijk.
'Ik ga straks naar Gilles. Ik zal er met hem over praten,' zei Sary.
'Moet dat nu, mam? Pa was in de war.' Emma wendde zich tot Joost. 'Hij zei dat ik zijn dochter niet was.'

Het viel Emma op dat Joost niet hoogst verbaasd reageerde. 'Je kunt nu niet bouwen op hetgeen hij zegt,' zei hij alleen.

Emma zei er niets meer over. Ze zou daar later over denken en eventueel naar vragen, besloot ze.

Joost verdween weer naar de schuur. Was hij de enige die had gehoord van het geheim van de Rijnsburghoeve? En zijn moeder natuurlijk. Van haar had hij de informatie ook. Er werd in dit dorp veel geroddeld. Misschien niet meer dan ergens anders, maar zijn moeder liep wel voorop wat dat aanging. Daarbij mocht ze Sary niet. Joost wist dat Gilles nog eens een avond met zijn moeder uit was geweest. Maar daar was het bij gebleven. Want toen kwam Sary. Mooie, levendige Sary.

3

Nadat Sary zich verkleed had, liep ze naar de auto. Op hetzelfde moment dook Jules naast haar op. Dit verwonderde haar al niet meer.

'Moet je naar de stad? Kan ik meerijden?'

'Is er iets mis met je eigen auto?' vroeg Sary geïrriteerd.

'Dat niet. Ik dacht alleen dat het voor ons beiden gezelliger zou zijn. Als je alleen bent, pieker je toch maar over Gilles.' Zonder verder iets te vragen schoof hij naast haar.

Sary was nu zo geërgerd dat ze het pedaal heftig intrapte, waardoor de auto met een schok vooruitschoot. Emma heeft gelijk, hij moet hier weg, dacht ze. Terwijl ze de wagen de weg op stuurde, zei ze: 'Nu mijn man ziek is, wordt het allemaal te druk. Ik wil de eerste maanden geen gasten meer aannemen. Jij bent dus de laatste.'

Ze keek opzij toen ze geen antwoord kreeg. Daarop reageerde hij: 'Dat is nogal een radicale beslissing. Wat vindt je man daarvan?'

'Het gastenhuis is mijn werk en het is mijn beslissing,' zei ze kortaf.

Ze stopte in het centrum van de stad. Hij legde een hand op haar knie en ze begon plotseling onbeheerst te rillen. Hij had iets waardoor ze van streek raakte en ze had hem wel uit de auto willen duwen. Tot haar schrik draaide hij zich naar haar toe, hij legde zijn andere hand om haar gezicht en kuste haar op de lippen. 'Opdat je mij niet zult vergeten.'

Daarop stapte hij uit en liep zonder om te kijken weg.

Vergeten! Daar is weinig kans op, dacht ze verbluft. Wat mankeerde haar? Zij was eenenveertig en getrouwd. Hoe oud zou Jules zijn? vroeg ze zich ineens af. Nog geen vijftig, in elk geval jonger dan Gilles.

En die ging ze nu opzoeken in het ziekenhuis. Ze was benieuwd hoe het met hem was.

Gilles zat rechtop in bed. 'Zo, daar ben je,' zei hij tamelijk kortaf. 'Is het werk geregeld?'

'Voor zover mogelijk.' Wat er ook gebeurt, voor hem telt alleen het werk, dacht ze een tikje verontwaardigd. Je zou toch zeggen dat er belangrijker dingen waren nu hij hier tamelijk hulpeloos in bed lag.

Ze bracht niettemin verslag uit van hoe het er met het werk voorstond, zei dan: 'Jules wilde blijven om te helpen.'

'Jules. Wie is dat?'

Ze fronste haar wenkbrauwen. Zou hij dat werkelijk niet meer weten? 'Hij was bij ons voor een overnachting. Je hebt hem al ontmoet.'

'O, die. Hij is niet geschikt voor het werk. Hij is een vrouwenversierder. Je hebt hem toch zeker geweigerd?'

'Min of meer. Hoewel ik betwijfel of dat verstandig was.'

'Het zou verstandig zijn als Emma nu eindelijk eens een beslissing nam. Als Joost het wachten zat is, gaat hij hier misschien weg. Dan zitten we pas goed in de problemen.'

'We moeten Emma nog wat tijd gunnen.'

'Jij was ook twintig,' bromde hij.

'Ja. En zwanger.'

'Wil je mij daar niet aan herinneren?'

Ze zweeg. Hoe kon ze dit onder deze omstandigheden ter sprake brengen? Hoewel de dokter niets van dien aard had gezegd, kon ze zich wel voorstellen dat Gilles zich niet mocht opwinden. Maar dat hij tegen Emma had gezegd dat ze niet zijn dochter was, wees erop dat dit hem nog regelmatig bezighield.

'Ja, het zit mij nog vaak dwars,' zei hij, alsof hij haar gedachten kon lezen.

'Het feit dat ik zwanger was?' vroeg ze.

'Nee. Het feit dat Emma niet van mij was en dat je mij dat pas vertelde toen een tweede zwangerschap uitbleef. Dat je niet eerlijk was.'

'Ik heb daar nog altijd spijt van. Maar waarschijnlijk waren we niet getrouwd als je ervan had geweten.'

Er verscheen een vluchtig glimlachje op zijn gezicht. 'Ik denk het toch wel. Ik hield van je, Sary, en die ander was niet meer in beeld.'

Ze legde haar hand op de zijne. 'Het is wel vreemd dat we hier nu over beginnen.'

'Je hoort weleens dat mensen die aan het eind van hun leven zijn over het verleden beginnen. Zou ik gauw doodgaan?'

Hoewel haar hart bijna stilstond van schrik, zei ze stellig: 'Nee. We kunnen je niet missen.'

'Emma is een prachtmeid. Jammer dat ze zo koppig is.'

Sary gaf een bemoedigend klopje op zijn hand. 'Het komt wel goed. Waarom vertelde je haar dat je niet haar vader bent?'

'Ik weet het niet. Ik trapte niet snel genoeg op de rem.'

Sary glimlachte even. Gilles gebruikte die opmerking vaker als hijzelf of iemand anders zijn mond voorbijpraatte.

Ze bleef nog geruime tijd zitten. Er werd niet veel meer gezegd. Gilles leek vermoeid. Hij had de ogen gesloten. Misschien dacht hij aan het verleden. Daar was nooit veel tijd voor. Het had lang geduurd voor hij haar die leugen had vergeven. Maar hij hield van Emma alsof ze zijn dochter was. Toen ze daar jaren geleden iets van zei, had hij geantwoord: 'Dat kind hoeft niet te boeten voor de misstap van haar moeder.' Sary wist dat Gilles haar had vergeven. Het was vandaag voor het eerst sinds jaren dat hij er weer op terugkwam.

Toen de dokter binnenkwam, schoot Gilles rechtop. 'U komt zeggen dat ik vandaag naar huis mag,' zei hij. Hij dacht de zaak wel even te regelen, zoals hij thuis ook de touwtjes in handen had, dacht Sary.

De arts was echter niet onder de indruk van zijn autoritaire toon. 'Vandaag zeker niet,' antwoordde hij kalm. 'We hebben nog niet alle uitslagen.'

'Wat doen jullie dan zo'n hele dag?' vroeg Gilles een tikje neerbuigend.

Sary gaf een waarschuwend kneepje in zijn hand. Met sarcasme zou hij hier niets bereiken.

'U bent net een halve dag binnen,' zei de dokter. 'We hebben de belangrijkste onderzoeken gedaan. Het zal u misschien verbazen, maar er zijn hier nog enkele patiënten. Sommigen hebben voorrang.'

'Wat hebben ze tot nu toe gevonden?' vroeg Gilles, nu aanmerkelijk rustiger.

'Tot nu toe niets verontrustends. Misschien kunt u morgen naar huis. Zeker niet eerder. U hoort er nog van.' Met een knikje naar Sary verdween de arts.

'Je hebt hem boos gemaakt,' zei Sary.

'Kan zijn. Maar hij heeft geen bedrijf dat leiding nodig heeft. Zeg tegen Emma dat ze Joost niet laat lopen.'

Sary stond op. 'Ik zal het haar nu onmiddellijk gaan zeggen.' Ze voelde dat ze geïrriteerd raakte, en dat terwijl haar man ziek en daardoor opstandig was. 'Moet ik Emma de waarheid vertellen?' vroeg ze nog. 'Ze dacht namelijk dat je in de war was.'

'Laat haar dat nog maar even denken.'

Toen Sary de deur achter zich sloot, bedacht ze dat ze hem geen zoen had gegeven. Toen schoot het door haar hoofd: ze was vanmorgen al gezoend. Lieve help, als Gilles dat toch wist! Het was dan wel buiten haar schuld, maar zou hij dat geloven, na alles wat er vroeger was gebeurd? Hij was soms zo rechtlijnig, zag de fouten van een ander levensgroot en had onmiddellijk zijn oordeel klaar. Maar hij zou het niet te weten komen.

Sary had echter de vroegere werknemer niet opgemerkt... Jarno, een Poolse jongeman die korte tijd bij hen had gewerkt. Gilles had hem ontslagen omdat hij volgens hem er de kantjes van afliep.

Jarno had wel degelijk de vrouw van zijn vroegere baas herkend. Had zij een andere man aan de haak geslagen? Of was ze gescheiden? Hij had er niets over gehoord en hij werkte slechts enkele kilometers verderop op een boerderij. Iedereen kende elkaar hier. Jarno had ook gehoord dat Gilles in het ziekenhuis lag. En nu zette zijn vrouw dus de bloemetjes buiten! Dat had hij niet van haar verwacht.

Jarno keek Sary na tot ze in het ziekenhuis was verdwenen. De man was lopend de andere richting uit gegaan. Jarno ging het tegenoverliggende café binnen en bestelde een kop koffie. Hij dacht diep na. Kon hij iets met hetgeen hij had gezien? In de zin van geld verdienen? Dan zou hij Sary moeten vertellen wat hij wist. In feite was dat chantage. Jarno was zeker geen crimineel, maar van hetgeen hij in Nederland verdiende bleef niet veel over om naar huis te sturen. Hij had in Polen een vrouw en twee jonge kinderen. In haar laatste brief had zijn vrouw geschreven dat ze probeerde wat geld te verdienen met schoonmaken. Hij was daar niet blij mee. Wie zorgde er dan voor de twee peuters?

Er moest toch iets te regelen zijn? De boer van de Rijnsburghoeve was rijk genoeg. Jarno was er echter zeker van dat zijn vrouw het niet zou goedkeuren als hij de vrouw van de boer zou chanteren. Om maar te zwijgen van zijn oude moeder. Voor haar nam hij vaak pijnstillers mee. Deze hielpen goed tegen de zware hoofdpijn waar ze soms door werd gekweld. Hij ging dan naar verschillende apotheken zodat hij een voorraadje kon meenemen. In Polen waren deze pijnstillers niet te krijgen.

Jarno stond uiteindelijk op en betaalde zijn koffie aan de bar. Hij bleef in de buurt van het ziekenhuis rondlopen en wachtte bij Sary's auto tot ze de deur uit kwam. Hij bleef rustig staan, ze scheen hem niet op te merken. Ze maakte een schrikbeweging bij het horen van zijn stem. 'Goedemorgen, mevrouw Rijnsburg.'

Ze kwam direct naar hem toe. 'Jarno. Hoe is het met je? En thuis?'

'Thuis gaat het niet goed. Mijn kinderen zijn veel ziek en mijn vrouw moet werken voor het eten.'

Sary fronste haar wenkbrauwen. 'Je hebt toch werk?'

'Niet iedere dag. Het is nog te vroeg in het jaar. Het wordt beter in de zomer.'

Ze knikte. 'Kom vanavond langs. Misschien kunnen we iets regelen. Je kunt bij ons eten. Ik heb toch te veel, want Gilles is ziek. Dat wist je denk ik wel.' Sary ging ervan uit dat een dergelijk bericht snel de ronde deed.

'Ik heb het gehoord. Hij wordt wel weer beter, toch?'

'Ja. Maar hij zal het wat rustiger aan moeten doen. Kom vanavond maar om vijf uur.'

Jarno knikte en liep weg, blij dat hij haar niet verteld had wat hij had gezien.

Ze kon hem niet vragen of hij de dagen die hij over had bij hen kwam werken, dacht Sary terwijl ze Jarno nakeek. Gilles had hem niet voor niets ontslagen. Jarno werkte inderdaad niet hard. Soms zat hij rustig in een weiland met zijn rug tegen een boom. De natuur bestuderen deed hij maar als het werk klaar was, had Gilles hem toegeschreeuwd. Maar Jarno was geen boerenzoon. Hij was een beetje een dromer. Hij was een keer in slaap gevallen met zijn rug tegen een hooiklamp. Sary besloot dat ze hem in elk geval iets zou toestoppen. Daar zou

Gilles vast geen bezwaar tegen maken. Hij was weliswaar streng, maar ook rechtvaardig.

Joost was duidelijk verrast die avond Jarno te zien. Hij had altijd goed met hem kunnen opschieten. Het ontroerde Sary dat Jarno zich speciaal netjes had aangekleed. Een keurig wit overhemd, een donkere broek, zijn haar glad gekamd met water. Ook Emma begroette hem verrast. Niemand had een hekel aan Jarno, dacht Sary. Hij was vriendelijk en zachtaardig.

Ze zou toch nog eens met Gilles praten, besloot ze.

Bij het weggaan gaf ze Jarno honderd euro. Hij stond er even verlegen mee in zijn handen, zei dan: 'U moet voorzichtig zijn. Er is altijd wel iemand die u ziet.'

Niet-begrijpend keek Sary hem aan.

'Met die man,' verduidelijkte hij. Hij zag haar een kleur krijgen. Ze wist dus wat hij bedoelde.

'Ik zeg niets, maar er zijn altijd mensen die dat wel doen. Ik wil u waarschuwen.'

'Ik begrijp het, Jarno. Het betekent niets. Hij is een bekende.'

'Gelukkig maar. En hartelijk bedankt.'

Hij verdween zonder nog om te kijken en Sary bleef een moment staan. Haar blik ging naar het raam waar Jules' kamer was. Het licht brandde. Wanneer zou hij vertrekken? Stel dat hij Gilles bepraatte zodat hij hier kon werken? En wat dan nog? Dan was hij niet de enige. Alleen was Joost min of meer in hun gezin opgenomen. Ze wilde zelf ook dat Emma een besluit nam. Aan de andere kant, als dat besluit negatief uitviel, dan zou Joost hier niet blijven. Zo goed kende ze hem wel.

Intussen bleef het door Emma's hoofd spoken. Haar vader had gezegd dat zij zijn dochter niet was. En haar moeder had hier vreemd op gereageerd. Het was echter nu niet het moment om daarover te beginnen. Maar als haar vader beter was, zou ze er zeker met hem over praten. Ze zou niet accepteren dat hij die woorden dan weer wegwuifde.

Gilles mocht inderdaad de volgende dag naar huis. Sary zou hem gaan halen.

'Moeten we het huis versieren?' vroeg Emma half serieus.

'Natuurlijk niet. Na één nacht in het ziekenhuis! Dat zou je vader echt niet willen. Hij zal zeggen dat hij geen kind is.'

Emma vond deze botte afwijzing nogal overdreven. Ze had het niet eens echt gemeend.

Ze keek hoe Joost de auto voor haar moeder uit de garage reed. Hij stak zijn duim omhoog en ze glimlachte. Wat was ze toch vertrouwd met hem. Ze bleef staan tot haar moeder wegreed.

Dan dacht ze eraan dat Jules waarschijnlijk op zijn ontbijt wachtte. Ze zou het hem brengen, maar ze zou niet tegen hem praten. Als hij vandaag maar vertrok.

Jules zat echter al aan tafel in de keuken en ze bedacht met schrik dat Joost ook zo kwam ontbijten. Ze vroeg zich af of het verstandig was om ook bij hen te gaan zitten. Ze was echt een beetje bang voor de opmerkingen van Jules. Maar ze kon altijd weggaan als iets haar niet beviel.

Joost schoof even later ook aan tafel. Ze schonk koffie in voor hen drieën.

'Dus de ouwe komt vandaag alweer thuis,' zei Jules.

'Zo moet je hem niet noemen,' zei Joost. 'Hij is pas zesenvijftig.'

'Niet bepaald jong, toch?' Jules besmeerde een boterham rijkelijk met roomboter en legde er een flinke plak ham bovenop. Joost volgde dit met zijn ogen en Emma was al bang dat hij zijn mond niet zou houden. 'Dubbel beleg is verkwistend,' placht Gilles doorgaans op te merken als hij zag dat iemand zo kwistig gebruikmaakte van het door God gegeven voedsel.

Daar kwam het al. 'Wanneer heb je voor het laatst gegeten? Het lijkt me dat je honger hebt,' zei Joost tamelijk scherp.

'Ik heb vanmorgen al een eind hardgelopen. Ik wil mijn conditie opbouwen,' was het antwoord.

Joost reageerde niet. Het viel Emma op dat hij zijn brood zeer dun besmeerde. Wat waren mannen soms toch kinderachtig.

'Je spat in mijn gezicht met dat geschraap,' zei Jules.

'Ik hoef niet aan mijn conditie te werken,' was het antwoord.

Emma opende haar mond om commentaar te geven, maar bedacht dan dat ze blijkbaar allebei plezier hadden in dit spelletje.

'Zou Gilles gelijk zijn bed in duiken?' vroeg Jules zich af. 'Ik wil hem graag spreken. Ik wil hem vragen of hij werk voor me heeft.'

'Ik zou er niet van uitgaan,' zei Joost.

'Jij bent de baas hier niet, al doe je alsof.'

'Houden jullie nu eindelijk eens op!' viel Emma plotseling uit. 'Stelletje kleuters.'

'Ach liefje, trek het je niet aan.' Jules legde zijn hand op de hare, maar ze rukte zich los. Joost stond op en verliet de keuken, een halve boterham nog in zijn hand.

'Ga je vandaag weg?' vroeg Emma niet al te vriendelijk aan Jules.

'Doe jij tegen alle gasten zo ongastvrij?'

'Geen enkele gast gedraagt zich zoals jij.'

'Lieve Emma. Je bent zo snel boos. Ik zoek werk.' Hij pakte twee mandarijnen van de fruitschaal, knipoogde en verliet de keuken.

Emma stond op en begon op te ruimen. Zelf had ze nauwelijks iets gegeten. Jules deed iets met haar. Ze zag nog steeds de blik in zijn intens blauwe ogen, voelde zijn hand op de hare. Ze wilde echt dat hij vertrok. En zij was niet de enige. Joost, anders altijd even rustig en vriendelijk, ergerde zich ook aan hem. Op de een of andere manier zag Jules kans iedere opmerking die Joost maakte op een neerbuigende manier te beantwoorden. Joost kon verbaal niet tegen hem op en dat had Jules door. Ze wilde niet dat Joost beledigd werd, daarvoor hield ze te veel van hem.

Ze stond plotseling heel stil, een bord in de hand. Het was immers de waarheid. Ze hield van Joost. Hij was er altijd en ze ging er maar van uit dat het altijd zo zou blijven. Maar wat als Joost iemand anders tegenkwam? Iemand die zijn kwaliteiten meer waardeerde? Iemand die niet als vanzelfsprekend aannam dat hij er altijd voor haar zou zijn?

Emma hield haar handen tegen haar gloeiende wangen. Ze had het ineens erg warm. Ze keek naar buiten en zag Joost naar de schuur lopen. Hij keek af en toe de weg af. Straks zouden haar ouders thuiskomen. Joost hoorde er echt bij. Als Jules nou maar binnen bleef. Hij drong zich voortdurend op. Emma begreep niet waarom ze toch zo door hem werd geboeid. Daar moest een eind aan komen. Ze zou met Joost praten. Hij had lang genoeg gewacht.

Toen ze de auto zag aankomen, liep ze naar buiten. Ze liet de deur uitnodigend openstaan. Haar vader kwam weer thuis! Het had ook heel anders kunnen aflopen.

Ze bleef van een afstandje toekijken. Gilles bleef naast de auto staan en keek naar het huis. Zijn blik gleed van het dak tot aan het erf en weer terug. Het was alsof hij het huis voor het eerst zag. Even zag ze een trek van ontroering op zijn gezicht. Had hij er rekening mee gehouden dat hij deze boerderij misschien nooit zou terugzien? Langzaam kwam hij haar richting uit. Het leek alsof hij met zijn ene been trok. Maar dat moest gezichtsbedrog zijn. De dokter had gezegd dat er geen restverschijnselen waren.

Ze liep hem nu tegemoet en hij legde een hand op haar schouder. Dit was zo ongewoon voor hem, dat ze zich afvroeg of het een gebaar van genegenheid was, of dat hij steun zocht.

'Wil je nu naar bed?' vroeg Sary zodra ze binnen waren.

'Naar bed? Wat moet ik daar doen? Ik kom er net uit.'

'De dokter heeft gezegd dat je veel moet rusten.'

'De dokter heeft geen idee hoeveel werk hier te doen is. Ik moet met Joost praten. En het schijnt dat die vent, die schilder, hier wil werken. Wat extra hulp is niet verkeerd nu het voorjaar eraan komt.'

'Ik wil dat liever niet. En Joost ook niet,' liet Emma zich horen.

'Als hij zijn werk niet goed doet, sturen we hem weg.'

Haar vader ging er in elk geval van uit dat zijn autoritaire houding nog steeds werkte, dacht Emma.

'Je stuurt wel heel gemakkelijk iemand weg. Laat Jarno dan ook maar terugkomen,' zei Sary.

'Jarno? Daar heb ik niets aan.'

Sary zei niets. Er was veel kans dat Jarno het werk intussen beter onder de knie had. Hoe moest ze Gilles duidelijk maken dat ze Jules hier niet wilde? Dat gaf alleen maar problemen.

Toen Joost binnenkwam en Gilles hem vertelde dat hij van plan was Jules aan te nemen, zei deze eerst niets.

'Ben jij het er niet mee eens?' vroeg Gilles.

'Ik besef dat er meer hulp moet komen. Jij moet de eerste tijd wat gas terug nemen. Maar of de hulp nu juist van die vent moet komen? Dan heb ik liever Jarno.'

'Waarom is Jarno bij Landsma weg?' vroeg Gilles nu.

'Geen idee.'

'Ik denk dat hij niet hard genoeg werkt,' zei Gilles. 'Landsma is streng wat dat aangaat.'

'Misschien, maar ik gun het Jarno wel. Hij is getrouwd. Zijn vrouw en kinderen zijn alles voor hem. Hij kan haar nu nauwelijks geld sturen. Ze leven in armoede. Zelfs al doet hij minder dan anderen, ik zou hem willen helpen,' zei Joost beslist.

'Goed dan,' ging Gilles plotseling overstag. 'Ik zal dan wel aan liefdadigheid gaan doen. Ik ga nu even liggen. Moe ben ik niet, ik volg enkel een advies op.' Hij keek naar Emma. 'Emma, ik wil jou zo even spreken.'

'Ik kom zo,' knikte ze.

'Zal ik meegaan?' vroeg Sary.

'Waarom? Ik kan mijn eigen kleren wel uittrekken,' mopperde Gilles.

Sary zei niets meer, ze bleef hem onder aan de trap nakijken. 'Hij is anders,' zei ze zacht.

'Het is niet gek dat mensen na iets dergelijks erg moe zijn,' zei Emma, die een beetje medelijden met haar moeder had. Sary leek geen goed te kunnen doen.

Deze keek of ze Emma's opmerking maar half geloofde, maar ze liet het onderwerp verder rusten. 'Hij wil jou spreken,' zei ze.

'Ja. Ik ga naar hem toe. Het zal wel over het werk gaan.'

Sary wist wel zeker van niet. Gilles praatte zelden met Emma over het werk. Misschien dacht hij dat hij het niet meer zonder Emma's hulp kon.

Sary liep naar buiten om de was binnen te halen. Ze zag Jules in de vensterbank van zijn slaapvertrek zitten. Hij keek haar richting uit, maar ze deed of ze hem niet zag. Waarom ging hij niet gewoon weg? Hij moest toch voelen dat hij niet welkom was? Aan de andere kant kon ze deze bijverdienste goed gebruiken. Niet dat ze geld echt hard nodig had. Ze hoefde het maar te vragen als ze iets nodig had. Maar dit was echt van haarzelf.

Toen ze even later een hand op haar schouder voelde, deed ze haastig een stap opzij. Ze hoefde niet te kijken om te weten wie het was.

'Laat me met rust!' zei ze heftig.

'Nou, nou, is dat niet wat overdreven? Ik wilde alleen vragen of je al met Gilles hebt gepraat. Kan ik hier enige tijd werken?'

'Gilles heeft geen bezwaar. Maar de rest van de familie wel. Waaronder ikzelf.'

'Dat meen je niet, Sary. Bedenk eens hoeveel spannender je leven zal worden met mij in de buurt.'

Sary zei niets. Ze wilde een dergelijk gesprek helemaal niet. Toen hij de wasmand wilde oppakken, rukte ze deze uit zijn handen.

'Wat een temperament,' plaagde hij.

Ineens zag ze Jarno bij het hek staan. Hopend op werk, dacht ze met iets van medelijden. Ze liet Jules alleen en ging naar hem toe. 'Ik denk dat je hier wel een paar dagen in de week kunt werken,' zei ze.

Ze zag zijn ogen even oplichten en dan zijn blik donker worden toen hij Jules zag. 'Valt hij u lastig?' vroeg hij.

Ze aarzelde even. 'Ik kan hem wel aan,' zei ze dan.

Jarno knikte en liep de weg op.

'Kom over een paar dagen maar,' riep ze hem nog na.

Hij hief zijn hand omhoog, maar keek niet meer om.

'Werken jullie met buitenlanders?' klonk het achter haar.

'Soms zijn ze prettiger dan Nederlanders,' zei ze dubbelzinnig.

'Ik weet niet of ik wel met een Pool overweg kan.'

'Dan lijkt het mij het beste als je gewoon wegblijft.' Ze pakte de wasmand en liep naar binnen.

Jules keek haar na. Een pittig wijfje. Erg jammer dat ze hem niet mocht.

Emma zat voor het raam van de slaapkamer, terwijl Gilles gekleed op bed lag. Hij had geruime tijd gezwegen en Emma stoorde hem niet. Toen keek hij haar recht aan en vroeg: 'Hoe staan de zaken er nu voor?'

Emma wist natuurlijk wat haar vader met die vraag bedoelde. Toch vroeg ze: 'Wat bedoel je, pa?'

Hij schudde het hoofd. 'Houd je niet van den domme, Emma. Dat is zo vermoeiend.'

'En je bent moe,' zei ze, hopend dat hij verdere vragen achterwege zou laten. Dat was echter niet het geval.

'Emma, ik heb een waarschuwing gehad. Dit kon weleens het begin van het einde zijn.'

'Er is geen enkele reden om zo te denken,' zei ze. Toch schrok ze. Zo kende ze haar vader niet. Ze dacht aan wat de dokter had gezegd. Wat Gilles was overkomen, kon wel enige tijd invloed hebben op zijn stemming.

'Ik zou graag mijn bedrijf veiligstellen. Als je nog steeds alleen bent als ik doodga, zullen jullie de boerderij verkopen.'

'Natuurlijk niet, pa. Ik moet er niet aan denken.'

'Je moet een man naast je hebben, Emma. Iemand die ook voor de boerderij voelt.'

'Joost,' zei ze.

'Je kunt niet ontkennen dat hij de meest geschikte man voor je is.'

Ze antwoordde niet. Ze wist dat haar vader gelijk had. Maar ze wilde zelf kiezen en die mogelijkheid was er al niet meer.

'Je hoeft niet gelijk een trouwdatum vast te stellen,' zei haar vader nog. Hij had zijn ogen weer gesloten. Hij zag er slecht uit. Datgene wat de dokter een storing noemde, had hem flink aangepakt. Ze zag ineens de mogelijkheid dat haar vader niet meer opknapte.

'Ik was van plan met Joost te praten,' zei ze. 'Hij zal

vast nog wel een tijdje willen wachten. Ik ben nog geen twintig.'

'Wij zijn aan het eind van het jaar eenentwintig jaar getrouwd. Je moeder was zwanger. Maar dat is geen nieuws, neem ik aan.'

Emma zei niets. Natuurlijk wist ze dat, ze kon ook rekenen. Er werd echter nooit over gepraat.

'Waarom zei je dat ik je dochter niet ben?' stelde ze de vraag die al lang op het puntje van haar tong lag.

'Ach, laten we het daar een andere keer over hebben.'

Emma opende haar mond om te protesteren, maar zag dan weer hoe vermoeid haar vader was. Ze stond op en verliet zachtjes de kamer.

Sary zat in de woonkamer. Haar handen lagen werkeloos in haar schoot, haar gedachten leken ver weg. Dat gebeurde eigenlijk nooit. Sary was altijd actief.

'Maak jij je ongerust over pa?' vroeg Emma.

'Ja. Jij dan niet?'

'Wel een beetje. Hij is voortdurend moe. Hij maakt zich natuurlijk ongerust over hoe het verder moet.'

Sary ging wat rechter zitten. Emma volgde haar blik en zag Jules de richting van de schuur uit lopen.

'Wat moeten we met hem?' vroeg ze zich hardop af.

'Je vader ziet er geen bezwaar in als hij hier blijft werken. Als ik hem wegstuur, zal hij zich opwinden. Dat kunnen we nu niet hebben. Je vader moet nu zo veel mogelijk rust hebben. Als Jules wat werk kan overnemen, evenals Jarno, dan redden we het wel. Al zei Jules wel tegen me dat hij liever niet met Jarno samenwerkt.'

'Waarom niet dan?'

Sary fronste haar wenkbrauwen. 'Ach, iets met zijn afkomst. Maar ik vind niet dat hij eisen kan stellen. En dat zal ik hem zeggen ook,' zei ze beslist. Ze stond op en ging de kamer uit.

Het lijkt alsof alles hier aan het veranderen is, dacht

Emma bezorgd. Ze keek op toen Joost binnenkwam.
'Je bent hier,' zei hij overbodig. 'Is het waar dat Jules hier blijft?'
'Waarschijnlijk tot mijn vader beter is. Vind je 't vervelend?'
'Ach, we zullen zeker geen vrienden worden. Ik hoop dat hij een beetje handig is.'
'Jarno komt waarschijnlijk ook weer.'
'Met hem heb ik geen moeite.'
'Joost,' begon ze.
Hij keek haar aan en verliet plotseling de kamer. Het was alsof hij niet wilde horen wat ze ging zeggen. Vermoedde hij iets en was zijn antwoord nee? Had hij genoeg van het wachten? Ze werd onrustig en ging hem achterna.
Joost was in de schuur verdwenen. Emma ging naar binnen. Hij was samen met Jules de koeien van hooi aan het voorzien.
'Hé, mooi meisje,' riep Jules tot haar ergernis. 'Vind je haar geen prachtstuk, Joost?'
'Zo druk ik me niet uit,' antwoordde deze stijfjes. En tot Emma: 'Wil je eens kijken of je vader wakker is? Ik wil enkele zaken met hem bespreken.'
'Kun je het hier nog niet alleen?' spotte Jules.
Joost negeerde hem en keek vragend naar Emma.
'Je kunt wel even naar hem toe gaan,' zei deze.
Joost knikte en ze keek hem na, wendde zich dan tot Jules. 'Als jij hier wilt werken, zul jij je moeten gedragen. Als mijn vader er niet is, dan is Joost hier de baas.'
'Ja, en dat laat hij merken ook. Je gaat toch niet echt met hem trouwen, wel? Heeft hij ooit tegen je gezegd hoe mooi je bent?'
'Allemaal lege woorden,' bitste ze.
'Kan zijn, maar iedere vrouw hoort ze graag. Het zou zo jammer zijn als de schoonheid straks verwelkt door

hard werken op de boerderij en een sleep kinderen om te verzorgen.'

Zijn stem spotte, maar de blik in zijn ogen maakte haar onzeker. Het was als een streling en ondanks haar ergernis werd ze er toch onzeker van. Toen ze naar buiten wilde, versperde hij haar de weg. Ze gaf hem een nijdige duw en liep naar huis.

4

'Ik wil dat die vent vertrekt,' was het eerste wat ze zei toen ze binnenkwam.

'Valt hij je lastig?' vroeg Joost, die met haar moeder bij de tafel zat.

'Niet echt. Hij is gewoon vervelend.'

Joost stond op. 'Ik kijk even bij Gilles.' Hij verdween uit de kamer.

'We kunnen een extra hulp goed gebruiken,' zuchtte Sary.

Emma ging er niet op in. Misschien was het haar moeders bedoeling niet, maar ze voelde zich voortdurend onder druk gezet. Natuurlijk, het was voor haar ook een schrikbeeld als ze de boerderij zouden moeten verkopen. Als ze zich voorstelde dat hier iemand anders zou wonen, duwde ze die gedachte ver weg.

Na ongeveer tien minuten verscheen Joost weer. 'Gilles is zichzelf niet. Ik heb hem nog nooit zo onzeker meegemaakt.'

Emma verliet de kamer en zat even later voor het raam in haar eigen slaapkamer. Dat ze zo helemaal niets uitvoerde, gebeurde haar hoogst zelden. Het leek wel of iedereen hier van slag was. Allerlei gedachten tolden door haar hoofd. Stel dat Joost, met zijn tomeloze energie en de positieve manier waarop hij problemen aanpakte, stel dat hij de boerderij zou verlaten omdat zij niet met hem wilde trouwen. Dan zou pa waarschijnlijk vervallen tot grote onzekerheid en er zou weinig of niets meer uit zijn handen komen. De Rijnsburghoeve zou in verval raken. Een rilling ging door haar heen.

Buiten zag ze Joost met Jules staan praten. Waarschijnlijk gaf hij hem enkele opdrachten. Dat kon nooit lang goed gaan. Jules was geen type dat gemakkelijk bevelen van anderen aannam.

Voor ze de kamer verliet, keek ze in de spiegel. Een mooi meisje, had Jules gezegd. Wat maakte het uit? Ze wist niet of het Joost ooit was opgevallen. Ze ging naar buiten en bleef bij de twee mannen staan. Joost glimlachte en ze lachte terug, greep zijn hand. Jules liep bij hen vandaan.

'Kan ik je vanavond even spreken?' vroeg ze aan Joost.

'Goed. Na het eten. We kunnen naar Sluis gaan, iets drinken.'

Emma keek om zich heen. De lucht was helder. Het was fris, de bomen gaven nog geen beschutting. 'Misschien een eindje lopen,' aarzelde ze.

Ze zag dat Jules zich omdraaide om een sigaret op te steken. Had hij haar gehoord? Ik wil dat hij vertrekt, dacht ze voor de zoveelste keer.

'Dat is ook prima,' antwoordde Joost. Hij knikte en liep naar de schuur.

Ze keek hem even na. Zou hij doorhebben dat ze iets belangrijks te zeggen had? Dat moest haast wel.

Ze ging terug naar huis, waar Sary de planten verzorgde. Ze keek niet op toen ze vroeg: 'Wat vond Joost nu echt van je vader?'

'Hij viel hem geloof ik een beetje tegen. Maar je kunt toch niet verwachten dat iemand na zo'n aanval de volgende dag gewoon weer verdergaat?'

'Hoe moet het nu verder?' zuchtte Sary.

'Je doet alsof we helemaal hulpeloos zijn. Pa is er nog, we kunnen gewoon met hem overleggen en het werk bespreken, al werkt hij zelf niet mee,' vond Emma. 'Mam?'

Sary hoorde dat er een vraag zat aan te komen die ze niet wilde beantwoorden, en wilde de kamer uit gaan.

'Wacht nou even. Waarom zegt pa dat ik zijn dochter niet ben?'

'Ach, zoals je al zei, hij is zichzelf niet.'

'Hij is heel goed bij de tijd,' antwoordde Emma kortaf. 'Ik heb er recht op te weten wat hij bedoelde.'

'Hebben we op dit moment niet al genoeg aan ons hoofd?' zei Sary geprikkeld. 'We hebben het er nog wel een keer over.' Daarop ging ze de kamer uit alsof iemand haar achternazat.

Meer zal ik voorlopig niet te horen krijgen, dacht Emma. Ze wist het nu zeker: haar ouders hadden een geheim, en het had met haar te maken.

Emma was de verdere dag onrustig. Ze kon haar aandacht niet bij haar studie houden. Ze had het gevoel dat de dag voorbij kroop. Ze verzorgde de paarden, wat haar vaste taak was. Ze zag dat Joost bezig was een akker gereed te maken om te gaan zaaien. Jules was vlakbij bezig met schoffelen tussen de wintertarwe. Hard nodig was het nog niet, maar je kon beter vroeg zijn. Ze hoorde het haar vader zeggen.

Haar vader... Wat als hij haar vader niet was? Ze leek niet op hem. Haar donkere uiterlijk kwam van een vroege voorouder, was haar altijd verteld. Of van een van de hugenoten, iemand die gevlucht was uit Frankrijk en zijn toevlucht had gezocht in Zuid-Nederland. Zo had Gilles het haar verteld. Ze had er nooit aan getwijfeld, maar was dit toch niet wat vergezocht? Zou Joost er meer van weten? Toen ze er een opmerking over maakte, had hij niet verbaasd gereageerd.

Voor die avond schilde Sary zo'n grote hoeveelheid aardappels dat Emma er een verbaasde opmerking over maakte.

'Evenals Joost eet Jules ook mee,' antwoordde Sary kortaf.

'Hè mam, moet dat nou?'

'Hij werkt hier,' gaf Sary als verklaring. 'Ik ga zijn bord warm eten niet op zijn slaapkamer brengen.'

'Dus Jarno eet hier binnenkort ook?'

'Als hij hier werkt wel. Wees niet zo ongastvrij, Emma.'

'We krijgen problemen met die Jules,' mompelde Emma.

Sary ging er niet op in. Als ze eerlijk was, had ze ook liever dat hij vertrok. Maar ze hadden hem nodig en dat wist hij heel goed.

Toen Joost als eerste binnenkwam vroeg ze niettemin: 'Is die Jules te handhaven?'

'Wat het werk betreft denk ik van wel,' antwoordde Joost. 'Ik zal hem in de gaten houden als Jarno hier volgende week ook is. Hij heeft iets tegen buitenlanders, speciaal tegen Polen. Hij beweert namelijk dat het een Pool was die ooit zijn fiets heeft gestolen. Maar ik zal niet toelaten dat hij Jarno beledigt.'

Joost zou de leiding hier gemakkelijk kunnen overnemen, dacht Emma met toch iets van trots.

Toen Jules binnenkwam en bij de gootsteen zorgvuldig zijn handen begon te wassen, zei Sary: 'Als we op het land hebben gewerkt, wassen wij onze handen buiten.'

Jules haalde zijn schouders op maar zei niets. Sary had juist de aardappels rond laten gaan toen Gilles binnenkwam. Emma kwam half overeind en Joost schoof een stoel voor hem bij.

'Is dit nu wel verstandig?' vroeg Joost vriendelijk.

'Begin jij nu ook al? Behandel mij niet als een zieke.'

'Ik wil juist voorkomen dat je opnieuw ziek wordt,' zei Joost.

Gilles ging zitten, hij scheen nu pas op te merken dat ook Jules aan tafel zat. 'Zo, ben jij er ook? Heb je geen problemen met het werk?'

'Tot nu toe niet.'

'Ik neem aan dat je hebt begrepen dat Joost hier de baas is, zolang ik niet echt meewerk.' Hij hield zijn hand boven het bord toen Sary nog wat bij wilde scheppen. 'Ze hebben mij zo volgestopt met medicijnen dat ik totaal geen trek meer heb. En kijk niet alsof je verwacht dat ik onmiddellijk de pijp uit zal gaan. Ik denk nog niet dat het mijn tijd is.'

Sary reageerde niet, maar tijdens het gebed in stilte was ze helemaal gericht op die woorden. God, sprak ze geluidloos, geef ons nog vele jaren in geluk en gezondheid.

'Ik ben blij dat je hier weer zit,' zei Joost. Hij verstond de kunst om een bepaalde spanning te doorbreken, dacht Emma.

Na het eten stond Gilles als eerste op en ging voor het raam staan. 'Is er iemand van mening dat ik niet naar buiten kan?' vroeg hij.

'Wat denk je zelf?' vroeg Joost. 'We kunnen even naar de stal gaan. Als het weer zo blijft, kunnen de koeien deze week nog naar buiten. Dan moet de stal worden schoongemaakt. Dat kan Jules wel doen.'

Terwijl Gilles knikte, zag Emma een flits van woede op Jules' gezicht. 'Moet ik de smerigste karweitjes opknappen?' zei hij. 'Laat die Pool dat maar doen.'

'Hij kan misschien wel helpen,' zei Gilles.

Jules zei er niets meer over, maar Emma begreep dat hij het er niet mee eens was. Hij zou Jarno zeker de hand niet boven het hoofd houden als er eens iets verkeerd ging.

Joost ging nu met haar vader naar de stallen. Ze zag dat hij Gilles bij de arm hield. Haar vader protesteerde niet, en dat was eigenlijk geen goed teken.

Even later ging Jules de beide mannen achterna.

'Als dat maar goed blijft gaan,' zuchtte Sary. 'Joost mag Jules niet, en dat laat hij merken ook. Joost kan het schoonmaken van de stallen gerust aan Jarno overlaten.'

'Hij hoeft Jules niet te sparen.' Emma keek haar moeder aan. Was ze gecharmeerd van hun gast? Dat kon ze zich niet voorstellen. Hij was totaal haar moeders type niet. Maar stel dat haar vader echt arbeidsongeschikt raakte. Ze wist wel zeker dat Gilles dan bijzonder moeilijk zou worden om mee om te gaan. Sary was nog jong, nog maar eenenveertig. Jules was ook nog in de veertig, schatte ze. Ach, ze moest zich geen onzinnige dingen in het hoofd halen. Ze kon zich beter met haar eigen zaken bezighouden. Ze stond op het punt de belangrijkste beslissing van haar leven te nemen. En ze wist niet of ze er goed aan deed.

Uiteindelijk werd het avond. Deze avond zou ze met Joost praten. De schemer viel al vroeg en het werd ook koud. Joost zou het vreemd vinden dat ze wilde wandelen.

Toen Sary even in de kamer was, glipte Emma naar buiten. Als haar moeder haar samen met Joost zou zien, zou ze onmiddellijk bepaalde conclusies trekken, terwijl ze zelf nog niet wist hoe dit gesprek zou verlopen. Emma liep om het huis heen, naar de wei waar de twee paarden dromerig over het hek leunden. Ze aaide hen over de neus en gaf hun ieder twee meegebrachte suikerklontjes.

'Ik dacht wel dat je hier zou zijn,' klonk het achter haar. Ze draaide zich om en op hetzelfde moment trok Joost haar naar zich toe. Ze maakte geen protest, maar leunde tegen hem aan. Joost drukte zijn wang tegen haar donkere haren.

'Je ruikt naar hooi en naar de zon,' zei hij zacht. 'Wil je wandelen?'

Ze knikte, ze waren nu toch uit het zicht van de Rijnsburghoeve. Ze liepen hand in hand naar de achterkant van de schuur.

Ze stonden daar in de luwte. Emma wist niet hoe te beginnen en Joost nam eveneens een afwachtende houding aan.

'Emma, ik hoopte dat je iets belangrijks ging zeggen,' zei hij na enige tijd toch.

'Ik geloof dat dat inderdaad zo is,' beaamde ze. 'Weet je, al de opmerkingen die de mensen soms maken, gaan maar over één ding. Jullie zijn een ideaal stel. Jullie moeten gaan trouwen.'

'Het gaat niet om wat anderen zeggen. Wat vind je er zelf van?' Hij hield zijn arm om haar schouders, zijn wang drukte tegen de hare. Ze voelde de fijne baardstoppeltjes prikken.

'Ik geloof dat ik het ook een goed idee vind.' Ze zweeg even, zich bewust van het feit dat het nog steeds leek te gaan om het idee van anderen.

'Dat het een verstandig besluit is, heb ik al meermalen gehoord. Pas nog van Gilles. Emma, ik houd van je. Ik zal dat misschien niet zo vaak zeggen, dat ligt niet in mijn aard. Maar ik meen het wel.'

Emma legde haar armen om zijn hals. Het was heel wat voor Joost om dit te zeggen. Hij uitte niet zo gemakkelijk zijn gevoelens. 'Ik ben blij dat je dit zegt,' antwoordde ze dan ook. 'Het is niet alleen een goed idee of een verstandig besluit.'

Terwijl Joost zich naar haar toe boog voor een lange kus, meende ze uit haar ooghoek iets te zien bewegen. Ze schrok hevig toen Joost haar plotseling losliet en schreeuwde: 'Maak dat je wegkomt!'

'Dus de kogel is door de kerk,' klonk de stem van Jules. 'Het zou toch tijd raken. Als je nog een lesje nodig hebt, kom dan gerust bij mij. Ik heb tenslotte al twee huwelijken achter de rug.'

Emma voelde een heftige woede opkomen. Hoe haalde hij het in zijn hoofd om dit intieme moment te verstoren! Een moment voor hen beiden, waar niemand getuige van hoorde te zijn.

'Kan ik jullie feliciteren?' Jules maakte nog steeds

geen aanstalten om te verdwijnen.
'Maak dat je wegkomt,' zei Joost voor de tweede keer.
Jules slenterde nu op zijn gemak weg. Een donkere figuur, een gestalte in de schemer, die hier helemaal niet thuishoorde.
'Ik ga even bij Bella kijken,' zei Joost nu. Bella was een koe die op het punt stond te bevallen. 'Ga je mee?' vroeg hij.
Emma stemde toe.
Ze bleef die avond tot Bella's kalfje was geboren. Het ontroerde haar te zien met hoeveel zachtheid Joost met de koe omging. Hij praatte kalmerend tegen het dier.
Toen Joost een en ander afhandelde, ging Emma naar binnen. In de gang was het opnieuw Jules die haar staande hield. 'Dat moet een romantisch moment zijn geweest, samen bij een kalvende koe.'
'Een geboorte is altijd een bijzonder moment,' gaf Emma toe.
'Je bent nog zo jong. Weet je verloofde geen ander amusement dan samen in de schuur bij een kalvende koe? Ik heb medelijden met je.'
'Verdwijn toch,' zei ze scherp. 'Ga je ergens anders amuseren.'
'Weet je, ik heb medelijden met jou en je moeder. Jullie die zo armzalig moeten leven. Bij jullie is de geboorte van een kalf het echte leven.'
Ze liep verder de gang in. Ze voelde zich rillerig. Kwam dat door de momenten met Joost, of door de opmerkingen van Jules, die altijd kans zag haar woedend te maken?
Ze vond haar moeder in de kamer.
'Was je met Jules?' was Sary's eerste vraag.
'Hij liep weer achter mij aan. Hij dringt zich op. Hij houdt mij voortdurend in de gaten.'
'Overdrijf je niet?'

Beiden schrokken ze door een woedend geschreeuw buiten. Emma rende naar buiten, haar moeder kwam vlak achter haar aan. Twee vechtende figuren rolden over het pad. Emma bleef er even verbaasd naar kijken.

Het waren Jules en Jarno.

'Laat ik nou gedacht hebben dat jullie volwassen waren,' merkte Emma scherp op.

'Die Pool schold mij uit.' Jules stond op, waarop Jarno ook overeind krabbelde.

'Wat is er aan de hand?' vroeg Sary nu.

Emma zag dat Jules haar moeders beide handen pakte. 'Het was niet mijn schuld, Sary. Die Pool wilde hier inbreken.'

'Noem me niet zo!' schreeuwde Jarno.

'Je bent toch een Pool? Je hebt hier niets te maken.'

'Hij werkt hier vanaf volgende week,' zei Emma. Ze zag dat Jarno moeite had woorden te vinden.

'Hij schold jullie uit,' zei Jarno eindelijk.

'Je zult hier niet lang gewenst zijn,' zei Emma koel tegen Jules. In feite had haar moeder dit moeten zeggen, maar Sary stond er zwijgend bij.

'Je bederft de hele avond,' zei Emma nog ten overvloede.

'O ja? Dan stelde deze avond ook niet veel voor.'

Emma keek Jarno na terwijl die naar het hek liep. Waarschijnlijk was hij Jules toevallig tegengekomen. Jarno wandelde graag in de avond. 'De hemel is hier hetzelfde als bij ons,' had hij eens gezegd. Emma vermoedde dat hij heimwee had.

Ze volgde Sary naar binnen en deed de deur voor Jules' neus dicht. Had die kerel nu nog niet door dat hij hier niet gewenst was? Hij had haar hele avond bedorven. De avond die een van de belangrijkste van haar leven had moeten worden. Ze had gezien hoe voorzichtig Joost met Bella omging. Met hoeveel zorg hij het kalfje had vastgehouden. En hij had gezegd dat hij van haar hield. Woog dat alles niet op tegen een romantisch etentje bij kaarslicht?

Ze keek naar haar moeder, die bij het raam stond. Stond ze hem nog na te kijken?

'Stuur hem nu eindelijk eens weg, ma,' zei Emma. 'Dit had een feestelijke avond moeten worden. Hij ziet kans alles te bederven. Ik heb geen idee waarom. Misschien is hij jaloers op ons eerst zo prettige leven.'

'Er is wel iets veranderd,' beaamde Sary langzaam. 'Ook door datgene wat je vader overkwam.'

'Ook zonder Jules zou dat gebeurd zijn. We moeten niets meer van hem pikken,' zei Emma heftig. Ze wreef met een vermoeid gebaar over haar voorhoofd. 'Joost en ik hebben besloten te trouwen,' zei ze toen zacht.

'Echt waar? Wat ben ik daar blij om! Weet je vader het al?'

'Ik vertel het hem morgen, als Joost er ook is.' Ze wachtte even, zei dan: 'Mam... Als Joost en ik trouwen, komt dan uit dat papa niet mijn echte vader is?'

'Er komt niets uit. Niemand is hiervan op de hoogte en er staat ook niets geregistreerd. Gilles is altijd een goede vader geweest. Iemand wordt niet alleen vader door dat ene moment. Ik heb lang gedacht dat Gilles niet op de hoogte was en twijfelde of ik het hem moest vertellen, maar hij heeft zelf zijn conclusies getrokken. Toen heb ik hem wel moeten vertellen hoe het is gegaan.'

'Maar het is dus wel zo. Nu heb je het toegegeven.'

'Het spijt me.'

'Nee, dat hoef ik niet te horen. Ik wil er nu eindelijk weleens alles van weten. Je had het papa dus niet verteld?' Emma staarde haar moeder verbaasd aan.

'Emma, vind je het nodig dat wij hier nu over praten? Ik was al verloofd met Gilles toen het gebeurde. We hadden ruzie, ik weet niet eens meer waarover. Maar het gevolg was dat ik alleen naar de kermis ging in Sluis. Daar ontmoette ik hem.' Sary keek even zwijgend voor zich uit.

Emma zag dat ze met haar gedachten ver weg was. 'Was je verliefd?' vroeg ze.

'Ach nee. Slechts voor enkele uren. Maar we gingen te ver. Het was verkeerd. Nu, in deze tijd, wordt daar veel gemakkelijker over gedacht. Ik voelde me zo schuldig. We hebben snel een trouwdatum geprikt voor een paar weken later en ik heb Gilles verteld dat ik direct na ons huwelijk zwanger was geraakt. Pas een paar jaar later ontdekte hij de waarheid, maar ik dacht dat hij daar vrede mee had. Nu begint hij er ineens weer over. Ik begrijp er niets van.'

Emma ging eindelijk zitten. Ze kon gewoon niet geloven dat haar moeder vlak voor haar huwelijk een *one-nightstand* had gehad, zoals men dat tegenwoordig noemde. 'Wist de jongen ervan?' vroeg ze.

'Ik heb hem nooit meer gezien. Zullen we dit onderwerp nu laten rusten, Emma? Laten we het nu over jouw toekomst hebben.'

'Morgen. Ik moet dit eerst verwerken,' zei Emma.

'Voor jou is er niets veranderd.'

Natuurlijk was er voor haar wel iets veranderd. Om te beginnen zag ze haar moeder ineens met heel andere ogen.

Sary stond op. 'Ik ga naar bed. Ga jij nou niet liggen piekeren. Het is iets van lang geleden.' Ze glimlachte. 'Morgen vertellen we je vader over jou en Joost. Hij zal enorm opgelucht zijn.'

Emma ging ook naar haar kamer. Ze had even moeite om gewoon te doen. Ze wilde haar moeder niet veroordelen, in elk geval niet om dat enkele feit dat ze zich een keer had laten gaan.

Misschien was de betreffende jongen erg romantisch

geweest, en had hij allerlei complimentjes gegeven. Zo was haar vader niet. Evenmin als Joost trouwens. Zou zij in staat zijn een half leven met een leugen te leven? Als zij bijvoorbeeld een affaire had met zo'n soort man als Jules? Zo'n type was het misschien geweest. Haar moeder was in elk geval van hem gecharmeerd. Van zichzelf kon ze zich niet voorstellen dat ze Joost zou bedriegen. Maar je wist niet altijd hoe je onder bepaalde omstandigheden zou reageren. Ze had meermalen hartkloppingen gehad als Jules in de buurt was. In elk geval ze zou erop aandringen dat hij vertrok. Dat was voor iedereen beter.

Toen ze de volgende morgen koffiedronken, vertelde Joost dat Jules was weggereden.

'Komt hij niet meer terug?' vroeg Sary.

Klinkt er nu werkelijk enige spijt in mijn moeders stem? vroeg Emma zich af.

'Ik denk het wel,' zei Joost. 'Hij nam in elk geval nauwelijks bagage mee.'

'Zonder iemand iets te zeggen?' vroeg Sary.

'Kan het je zo veel schelen, mam?' vroeg Emma geïrriteerd. 'Wij hadden pa iets te vertellen, weet je nog?'

'Dat ben ik heus niet vergeten.'

'Hoe is de nacht geweest?' vroeg Joost.

'Ik geloof niet dat Gilles echt goed heeft geslapen. Maar vanmorgen beweerde hij van wel. Je weet hoe hij is. Hij wil nergens over praten.'

Even later ging Sary naar boven.

'Wilde je Gilles inlichten over onze trouwplannen?' wilde Joost van Emma weten.

'Ja. Als jij het goedvindt.'

'Ik wil de hele wereld wel inlichten. Hoe meer mensen het te weten komen, hoe meer ik het ga geloven.' Hij strekte een hand naar haar uit, en ze leunde tegen hem aan.

'Vind je het vervelend dat Jules weg is?' vroeg hij.

'Helemaal niet. Hij was gisteravond zo opdringerig. Ik hoop hem nooit meer te zien.'

'Ik weet niet of we daar zo zeker van kunnen zijn. Hij gaat op een boerderij in de buurt werken. Dat vertelde Jarno. Kom, we gaan naar je vader.'

Ze liep met hem mee, zich afvragend waarom Jules per se in de buurt wilde blijven. Ze had het gevoel dat ze nooit meer echt ontspannen kon zijn als ze wist dat ze hem op ieder moment van de dag tegen het lijf kon lopen.

Ze opende de deur van de slaapkamer waar Gilles rechtop in bed zat. Zijn koffie stond onaangeroerd op het tafeltje naast zijn bed.

'Geen trek, pa?' vroeg ze.

'Nee. Begin jij nu ook niet met je overal mee te bemoeien.'

'We hebben iets te vertellen,' zei Emma, de laatste kribbige opmerking negerend.

'Ha.' Gilles keek van de een naar de ander. 'Ik hoop dat het iets goeds is.'

'Joost en ik gaan trouwen,' zei ze. Ze had het gevoel dat het niet helemaal klonk zoals het zou moeten. Het definitieve van de uitspraak joeg haar angst aan. Ze keek Joost aan en zijn glimlach stelde haar op de een of andere manier gerust. Het was goed zo.

'Mooi zo,' zei Gilles nu. 'Wanneer gaat dat gebeuren?'

'Daar hebben wij het nog niet over gehad. Eind volgend jaar misschien.'

'Jullie hoeven elkaar toch niet meer te leren kennen?' meende Gilles.

'Er moet heel wat geregeld worden,' zei Joost nu. 'Bijvoorbeeld: waar gaan we wonen?'

'Hier op de boerderij natuurlijk. Wij verhuizen naar het andere gedeelte. Dus geen gasten meer.' Dit laatste zei hij in het bijzonder tegen Sary.

'Het zou toch kunnen dat Emma meer voelt voor een modern huis,' opperde Joost.

'Is dat zo?' Haar vader keek haar aan.

'Ik heb daar nog niet over nagedacht,' antwoordde Emma naar waarheid.

'Er is hier ruimte genoeg. Als jullie een eigen huis willen laten bouwen, moeten we zo snel mogelijk een aannemer laten komen.'

'Waarom zo'n haast?' zei Sary nu. 'Emma is nog erg jong.'

'Jij was niet ouder. Trouwens, ik wil er graag bij zijn.' Na deze opmerking viel er een stilte.

'Als jij je niet goed voelt...' begon Sary dan.

'Dat zeg ik niet. Maar we hebben nu gezien hoe kwetsbaar het leven is. Ik kan dit nog een keer krijgen en in een rolstoel eindigen, of erger. Ik vertrouw erop dat het mijn tijd nog niet is, maar we moeten wel rekening houden met de risico's.'

'Zo hoeft het niet te gaan,' zei Joost.

Gilles liet zich weer in de kussens zakken. 'Over een halfuur kom ik beneden. Emma, blijf jij even hier.' Dat was het teken dat de anderen konden vertrekken.

Emma ging op de rand van het bed zitten en keek haar vader vragend aan.

'Ik heb altijd geweten dat jij mijn dochter niet was,' zei Gilles.

'Altijd?' herhaalde Emma.

'Voor je moeder en ik trouwden, wist ik al dat ik onvruchtbaar was. In de puberteit kreeg ik de bof en ze hebben me toen verteld dat onvruchtbaarheid daarvan een gevolg kon zijn. Ik heb het je moeder niet verteld, ik dacht: wie weet hebben ze ongelijk. Toen je moeder zwanger bleek te zijn, heb ik mij nog een keer laten onderzoeken. Er was niets veranderd. Ik heb haar dus jarenlang bedrogen door te doen alsof ik het niet wist, en zij mij ook door de waarheid voor me achter te houden. Ons huwelijk is gebaseerd op leugens. Dat ik die leugen als eerste doorbrak, doet daar niets aan af. We hebben elkaar niets te verwijten.'

'En ik dan?' protesteerde Emma. 'Zo weet ik nooit wie mijn vader is.'

'Hij was maar een voorbijganger. Ik ben je vader. En ik wilde je waarschuwen. Ben je wel zeker van je liefde voor Joost?'

Emma gaf niet direct antwoord. Zo'n vraag was helemaal niets voor haar vader. Op de een of andere manier was er iets in hem veranderd.

'Waarom vraag je dat nu? Je beweert al jaren dat wij een prima stel zijn.'

'Dat vind ik nog. Maar ik heb je een paar maal naar die Jules zien kijken. En hijzelf ziet ook iets in jou. Je zult hem nog weleens tegenkomen. Dan moet je wel zeker van jezelf zijn.'

Emma verwonderde zich steeds meer. 'Ik heb nu lang genoeg gewacht om zeker te zijn,' zei ze. 'Jules is trouwens vertrokken.'

Haar vader knikte. 'Hopelijk voorgoed. Ga nu maar. Ik kom zo. En zeg niets tegen je moeder.'

Er schoten duizend gedachten door Emma's hoofd terwijl ze de trap af liep. Haar echte vader was dus een voorbijganger, het kon in feite iedereen zijn. Ze merkte aan zichzelf dat ze op dit moment niets liever wilde dan weten wie die voorbijganger dan was geweest.

5

De eerste tijd veranderde er niet zo veel. Gilles knapte langzaam op, hoewel Joost zei dat hij langzamer was geworden. Gilles had duidelijk minder energie en liet meer zaken aan Joost over.

Na vele gesprekken hadden Emma en Joost toch besloten een bouwvergunning aan te vragen voor een eigen huis. 'We maken een nieuw begin,' zei Joost. 'Dat kan niet in het huis waar jij je hele leven hebt gewoond.'

Ze waren 's avonds vaak in Emma's kamer, en soms ook bij Joost thuis, waar hij een kleine slaapkamer had. Zo leerde Emma Joosts moeder steeds beter kennen, en dat viel niet mee. In de eerste plaats had ze altijd commentaar als ze naar Joosts kamer gingen. 'Op een slaapkamer nota bene. Daar hebben jullie later nog tijd genoeg voor,' zei ze vinnig.

'Gelukkig kunnen we bij jou wel samen zijn,' zuchtte Joost. 'Maar jouw ouders zijn ook iets moderner ingesteld. Mijn moeder is wat ouderwets.'

Emma ging er niet op in, maar ze maakte zich wel zorgen over de grenzeloze bemoeizucht van haar aanstaande schoonmoeder. Of het nu ging om de trouwdatum of om de bouwtekeningen, ze deed overal haar zegje over.

'Ze heeft niet zo veel vertier. Dit houdt haar enorm bezig,' vergoelijkte Joost.

Emma had echter het gevoel dat Leentje haar absoluut niet mocht. Zo gauw ze even met haar alleen was, wat ze zo veel mogelijk trachtte te vermijden, vuurde de vrouw vragen aan de lopende band op haar af. 'Waarom heb je mijn jongen zo lang laten wachten? Wilde je eerst nog wat rondkijken?'

'Dat is nooit verkeerd,' probeerde Emma er een grapje van te maken.

‘Als je maar niet op je moeder lijkt,’ klonk het dan.
‘Wat is er mis met mijn moeder?’ reageerde Emma scherp.
‘Je moeder moest trouwen. Zij kon niet wachten.’
‘Datzelfde geldt dan voor mijn vader,’ zei Emma boos. Waar bemoeide dat mens zich mee?
‘Denk je? Men zegt dat je vader daar niet veel mee te maken had,’ klonk het fijntjes.
Op dat moment stond Emma op en ze verliet de kamer. Joost was een fietsband aan het plakken.
‘Kom je helpen?’ vroeg hij, maar toen schrok hij van de woede in haar groene ogen.
‘Dat mens!’ zei ze heftig.
Joost fronste. ‘Ik neem aan dat je het over mijn moeder hebt.’
‘Over wie anders? Ze begon nu zelfs over het feit dat mijn moeder zwanger was van een ander.’
‘Zei ze dat?’
‘Niet met zoveel woorden, maar ze bedoelde het wel.’
‘Maar lieverd, het is toch ook zo...’ probeerde Joost. Ze hadden het samen uitgebreid gehad over Emma’s afkomst en de fout die Sary had gemaakt. Toen had Joost zelfs nog gezegd: ‘Ik zou jou nooit een fout willen noemen.’ Maar dat hij het nu voor zijn moeder opnam, schoot bij Emma in het verkeerde keelgat.
‘Begin jij nu ook al?’ vroeg ze.
En zo ontstond hun eerste ruzie. Emma kon erg fel reageren en ze voegde hem toe dat ze het niet zag zitten als hij voortdurend zijn moeder in bescherming nam.
‘Je kunt wel een beetje toleranter zijn,’ meende Joost. ‘Ze is alleen en...’
‘Ja, daar schermt ze voortdurend mee. Maar dat geeft haar nog niet het recht zich met mijn zaken te bemoeien. En zeker niet met die van mijn ouders. Ik ga naar huis.’

Joost greep haar bij de arm. 'Dat doe je niet. Je praat dit eerst uit. Kom mee.'

Emma was even overbluft. Dergelijk autoritair gedrag was ze van Joost niet gewend. Toen ze binnenkwamen, troffen ze Leentje in tranen bij de tafel.

'Je mag niet toestaan dat ze mij zo behandelt,' zei ze tegen Joost.

'Nou, moeder, ik denk zo dat jij ook niet bepaald tactvol bent geweest.'

'Ik zei alleen dat ik hoopte dat ze niet zwanger was voor jullie trouwen, zoals indertijd haar moeder. Haar ouders maakt het misschien niet uit...'

'Die bemoeien zich daar niet mee,' zei Emma.

'Daar hebben ze ook geen enkel recht toe. Je moeder zeker niet.'

'Dat recht heb jij ook niet. Waarschijnlijk ben je alleen de dans ontsprongen.'

'Hoe durf je?' Leentje kwam nu overeind en opnieuw stoof Emma naar buiten. Ze pakte haar fiets, opende het hekje, fietste de weg op en reed bijna tegen Jules aan. Waar kwam hij zo plotseling vandaan? Ze wist dat hij soms op een van de boerderijen in de omgeving werkte. Had hij iets gehoord of gezien? Ze wilde hem voorbijrijden, maar hij deed enkele stappen en versperde haar de weg. Ze was gedwongen om af te stappen.

'Wat moet je?' vroeg ze kribbig.

'Wel, wat een blij aanstaand bruidje ben je toch.' Hij legde een hand op haar schouder.

'Laat me los!' zei ze nijdig.

Zijn helblauwe ogen keken haar meewarig aan. 'Ik zou je zo graag gelukkig zien,' zei hij op meelevende toon.

Het werd haar even te veel en tot haar schrik schoten haar de tranen in de ogen. Joosts moeder, die haar duidelijk niet mocht en met wie ze moest leren leven.

Joost, die het duidelijk voor zijn moeder opnam. En nu deze man, die ineens weer zo veel begrip leek te hebben terwijl hij zich ook zo vaak heel anders had gedragen. Het was even allemaal te veel.

'Ach, mijn liefje toch.' Hij trok haar dichter naar zich toe en hield haar vast in een innige omhelzing.

De fiets leek een eigen leven te leiden en viel uit haar handen. Dit bracht haar tot de werkelijkheid terug. Ze rukte zich los en bukte zich om de fiets op te rapen. Maar hij was haar al voor en weer waren hun hoofden dicht bij elkaar. Te dicht. Emma wierp een snelle blik naar het huis dat ze zojuist was ontvlucht. Zag ze een gordijn bewegen?

Jules hield nog steeds haar fiets vast. 'En wat nu?' vroeg hij.

'Wat nu?' herhaalde ze. 'Ophoepelen. Hoe durf je mij hier lastig te vallen.'

'Lastigvallen? Noem je dat zo?'

Ze pakte haar fiets met een ruk van hem over.

'Houd je wel echt van je bruidegom?' vroeg hij nog.

'Natuurlijk doe ik dat.' Ze slingerde eerst omdat haar ogen verblind waren door tranen. Ze fietste langs de boomdijk, maar zag niets van de schoonheid van het vlakke land. Waar bemoeit hij zich mee, dacht ze voor de zoveelste keer. Misschien had hij iets van de woordenwisseling gehoord, en concludeerde hij daaruit dat ze niet van Joost hield. Ze hield al haar hele leven van Joost. Ze duwde de gedachte dat ze bezig was zichzelf te overtuigen ver van zich af.

'Heb je dat nu gezien?' Leentje keek naar haar zoon, die naast haar voor het raam had gestaan, maar nu weer bij de tafel zat.

'Mensen begluren of afluisteren levert in de regel niets goeds op,' antwoordde hij kortaf. 'Je moet niet tussen ons stoken. Ik houd van Emma.'

'Dat weet ik. Maar ik betwijfel of dat andersom ook zo is. Ik wil niet dat je bedrogen wordt.'

Zijn moeder maakte een snuivend geluid en Joost kreeg even de neiging tegen haar te gaan schreeuwen. Hij verliet de kamer, maar het duurde lang voor zijn woede was gezakt. Hij wist niet meer op wie hij zich zo kwaad maakte. Op Emma, die zich door die charmeur liet vastpakken. Op Jules, die zijn handen niet kon thuishouden. Of op zijn moeder, die hem bij het raam had geroepen met in haar stem een zeker leedvermaak.

Joost meende te begrijpen wat zijn moeder dwarszat. Ze wilde niet dat hij thuis wegging. Ze bleef dan immers alleen achter. Dat overkwam veel ouders, maar het was anders als je nog samen was. Zijn vader had een goede invloed op haar gehad. Maar sinds zijn overlijden liet ze zich nergens meer door weerhouden om te zeggen wat ze dacht. Daarbij was ze jaloers op Emma's ouders, die vlak bij hen zouden wonen.

Toch zou hij met Emma praten. Vanaf de eerste dag dat Jules hier rondliep, had Joost een gevaar in hem gezien. Emma was duidelijk gevoelig voor de complimentjes die hij uitdeelde.

Joost besloot die avond nog bij Emma langs te gaan en stuurde haar een sms'je. Daar hij geen antwoord kreeg, nam hij aan dat het goed was.

Emma had echter liever geweigerd. Het bericht, *We moeten praten*, stond haar niet aan. Wat viel er te praten? Wilde hij haar ter verantwoording roepen omdat ze even met Jules had gepraat? Ze wist wel zeker dat hij niet meer had gezien. Hij stond onder druk van zijn moeder en dat stond haar niet aan.

Gilles at die avond weer aan tafel. Hij raakte geïrriteerd toen Sary vroeg of ze zijn eten klein moest snijden.

'Wat bezielt jou? Wil je mij soms gaan voeren?'

Sary zei niets. Ze zag dat hij moeite had met zijn rechterarm. Daarover had de dokter niets gezegd en Gilles zelf wilde er kennelijk niets van weten, maar Sary maakte zich zorgen.

'Hoe was het bij Joost thuis?' begon ze over iets anders. 'Met Leentje?'

Emma haalde haar schouders op. 'Ik vrees dat we niet echt vriendinnen zijn.'

'Je kunt daar wel wat meer je best voor doen. Ze woont daar straks alleen en daar ziet ze natuurlijk tegen op.' Sary had zich de laatste tijd gerealiseerd hoe zwaar het haar zou vallen om alleen te wonen.

'Daar is Emma niet verantwoordelijk voor. Leentje is geen prettig mens. Gelukkig lijkt Joost niet op haar,' zei Gilles. Hij liet een stuk aardappel van zijn vork vallen. Sary zag het, maar keek snel voor zich. Gilles at door alsof er niets gebeurd was. En dat was in feite ook zo. Zoiets kon immers iedereen overkomen. Ze lette te veel op hem.

Ze schrokken op toen een windvlaag de ramen deed rammelen.

'Lieve help, Joost moet nog komen,' zei Emma.

'Je hoeft hem toch niet buiten te ontvangen,' meende haar vader. Daarin had hij natuurlijk gelijk. Ze had echter ineens het gevoel dat ze op haar kamer wel erg dicht bij elkaar waren. Ze voelde de blik van haar vader op zich rusten. Soms had ze het gevoel dat hij dwars door haar heen keek. Terwijl ik niet eens zijn eigen dochter ben, dacht ze.

Toen ze de deur hoorde, ging ze Joost tegemoet. Hij hing zijn jas aan de kapstok, liep met haar mee naar binnen en wreef door zijn drijfnatte haren.

'Dat je de auto niet neemt,' zei Gilles. Hij wist de luxe van een auto nog altijd te waarderen. 'Als ik vroeger naar Sary toe ging moest ik wel op de fiets, maar nu...'

'Wij zijn verwend,' zei Joost. 'Emma, wij moeten iets regelen.'

'Welja, zoeken jullie maar een rustig plekje op.' Dat was opnieuw Gilles. Emma wist dat haar vader zeer op Joost gesteld was. Joost zou van hem altijd in alle opzichten gelijk krijgen, evenals trouwens van zijn moeder.

Wat later namen ze de koffie mee naar boven. Joost ging in de diepe, brede stoel zitten. Emma aarzelde even. Vaak kroop ze naast hem, maar deze keer nam ze het leren stoeltje tegenover hem. Langzaam dronken ze hun koffie, en ze maakten enkele opmerkingen over de plotselinge verandering van het weer. Het was alsof ze het echte gesprek uitstelden.

'Ik wilde voorstellen om een trouwdatum te prikken,' zei Joost terwijl hij zijn kopje neerzette.

'O,' antwoordde ze tamelijk onnozel. Deze vraag had ze niet verwacht.

'Wil je het nog uitstellen?' vroeg hij. 'Om erover te praten, bedoel ik.'

'Nee, nee, het is goed. Het moet er toch een keer van komen.'

Hij fronste zijn wenkbrauwen en ze besefte dat dit laatste klonk als 'het moet dan maar'. Hij stond op en ging met de handen in de zakken voor het raam staan. Daar was weinig anders te zien dan de regen die nog steeds tegen de ramen sloeg.

Ze ging naast hem staan. 'Zal ik de gordijnen dichtdoen?'

Hij knikte en ging weer zitten. 'Als je er niet aan toe bent...' begon hij opnieuw.

'Wat had jij in gedachten? Welke datum, bedoel ik.'

Hij klaarde wat op. 'Wat dacht je van december? In het voorjaar en in de zomer is het hier erg druk.'

'Trouwen kost maar één dag.'

'Er is veel voor te bereiden. Misschien wil je een reisje maken. In die tijd kan ik het gemakkelijkst weg.'

Ze stond op en legde een arm om zijn schouders. 'Joost, je begint hier toch niet over omdat je denkt dat er iets is tussen Jules en mij?'

Ze voelde hem verstrakken. 'Als ik dat dacht, zou ik niet over trouwen beginnen.'

'Ik weet dat je ons op de weg zag. Hij is opdringerig, Joost. Hij hield me tegen. Ik zou willen dat ik hem nooit had gezien.'

'Waaruit ik opmaak dat hij je niet helemaal onverschillig laat.'

'Je moet je niet door je moeder laten opstoken,' zei ze geprikkeld, om vriendelijker verder te gaan: 'Goed, laten we dan voor de kerst trouwen. Dan kunnen we met de kerstdagen weg zijn. Wat vind je daarvan?'

'Ik wil alleen maar heel graag bij je zijn,' zei hij, waarbij hij haar heftig tegen zich aan drukte.

Emma duwde een hand tegen haar ogen.

'Hoofdpijn?' vroeg Joost.

'Er komt ineens zo veel op ons af.' Ze kon hem niet vertellen dat ze de intense blik uit een paar blauwe ogen als het ware wilde wegvagen.

Het werd al met al een druk jaar. Op de boerderij was het altijd druk, dus de meeste voorbereidingen voor het huwelijk kwamen op Emma neer. Het ging niet alleen om de locatie waar het feest gehouden zou worden, maar ook om de samenstelling van de gastenlijst, de trouwjurk, enzovoorts. Emma had het er druk mee. Er was een periode dat Joost weinig tijd had. Daarbij vond hij alles goed.

'Het gaat erom wat jij wilt,' zei hij soms. 'Ik vind alles goed, als jij maar gelukkig bent.' Hij hield zo onvoorwaardelijk van haar.

'Jij bent zijn grote liefde,' zei Jarno op een keer. Emma wist dat hij gelijk had en het maakte haar soms een beetje onrustig. Kon ze wel aan zijn verwachtingen voldoen? Soms kwam ze Jules nog tegen, maar hij hield zich duidelijk op een afstand. Maar zelfs als hij in de auto voorbijreed, leek het of zijn ogen haar altijd zochten.

Op een morgen vond ze haar moeder in gesprek met hem. Hij stond over het hek geleund en Sary was bezig wat onkruid te wieden. Emma hoorde haar moeder schaterlachen en zag dat Jules haar bij de arm greep. Ze hoopte maar dat haar vader dit niet had gezien. Ze was er nu wel achter: Jules was een type dat alle vrouwen om zijn vinger kon winden.

Toen hij door het hek binnenkwam wilde ze eerst het huis binnengaan, maar ze vond zichzelf dan kinderachtig. Hij kwam naar haar toe en glimlachte al zijn witte tanden bloot. 'Het gaat dus echt gebeuren. Jij wordt een kerstbruid.'

'Ja. En jij bent niet uitgenodigd,' zei ze vinnig.

'O nee? Je moeder denkt daar anders over. Ik wil wel graag een boerenbruiloft meemaken.'

Emma zei niets. Ze wilde niet tegen haar moeder ingaan waar hij bij was.

Hij ving haar blik op en zijn stem klonk een beetje slepend toen hij zei: 'Een kerstbruid. Volgend jaar een kerstkindje.'

Ze draaide zich abrupt om en ging naar binnen. Door het raam zag ze hem vertrekken. Voor hij in de auto stapte, raakte hij Emma nog even vluchtig aan. Ze voelde een lichte streling langs haar wang.

Toen Sary binnenkwam, zei ze eerst niets. Pas toen Gilles ook binnen was – hij dronk tegenwoordig bijna een halfuur koffie – zei Emma: 'Wat mankeert jou om die vent uit te nodigen voor onze bruiloft?'

'We kennen hem nu zo goed. Wat is erop tegen?'

'Ik mag hem niet, dat weet je. Maar goed, ik nodig Jarno ook uit, met zijn hele gezin. Ik betaal hun reis. Het is mijn bruiloft.'

'Dat lijkt me niet verstandig. Die twee mogen elkaar niet.'

'Daarom moet die Jules wegblijven.'

Gilles zette voorzichtig zijn kopje neer. Hoewel hij er nooit iets over zei, wist Emma dat hij last had van zijn arm. Iedereen kon zien dat het nog niet helemaal goed met hem ging. 'Waar hebben jullie het over? Je gaat me toch niet vertelen dat je die flierefluiter op je bruiloft hebt uitgenodigd.'

'Dat heeft mama gedaan.'

'Wat mankeert jou? Ik was blij dat we van die vent af waren. Hij heeft hier niets te maken.'

Gilles verhief zijn stem en Sary maakte een gebaar met haar handen, wat zoveel betekende als 'rustig maar'. Ze had nog altijd het idee dat Gilles zich niet mocht opwinden. Het probleem was dat hij tegenwoordig sneller uit zijn slof schoot dan vroeger.

'Ik kan het nu niet meer terugdraaien. Ik zal hem wel zeggen dat hij zich wat op de achtergrond houdt.'

Gilles schoof nu met zo'n vaart zijn kopje van zich af dat het kantelde en van de tafel viel. 'Ben je zo intiem met hem dat je hem kunt zeggen hoe hij zich moet gedragen?'

Emma was opgestaan en begon de scherven op te ruimen, evenals het restje koffie. Haar vader zag veel meer dan zij wisten. En dat was altijd zo geweest. Hij zweeg echter altijd, met als gevolg dat er te veel onuitgesproken was. Leugens, geheimen, achterdocht...

Ze legde een hand op haar vaders schouder. 'Ik ga hem zeggen dat hij niet welkom is. Het is mijn bruiloft.

Joost mag hem al evenmin.'

Haar vader knikte even. 'Als je zegt dat Jarno ook komt, wil hij misschien niet eens.'

Dat laatste betwijfelde Emma. Ze had het gevoel dat Jules ervan genoot als hij voor onrust kon zorgen.

Gilles stond op en verdween naar buiten.

'Ik begrijp niet waarom jij die vent vraagt,' zei Emma tegen haar moeder.

'Ik zie in dat het niet verstandig was,' antwoordde Sary met een zucht. 'Aan de andere kant begrijp ik niet wat jullie tegen hem hebben.'

'Ik heb vanaf het begin geweten dat hij voor onrust zou zorgen,' zei Emma. 'Ik hoop echt dat hij inziet dat hij beter weg kan blijven.'

Ze ging naar buiten, op zoek naar Jarno. Ze zou hem zelf uitnodigen voor de bruiloft voordat iemand haar kon tegenhouden.

Sary liep de trap op. Gilles was buiten, dus nu kon ze mooi even het bed verschonen. Gilles werkte alweer aardig mee volgens Joost. Het ging wel wat langzamer dan vroeger, maar het leek iedere dag beter te gaan. Boven gooide ze het raam wijd open. Ze zag Emma met Jarno staan praten. Als zijn vrouw inderdaad hierheen kwam, hadden ze in elk geval ruimte genoeg nu ze niet had verhuurd. Jules had gevraagd – en dat niet voor het eerst – of hij weer een kamer kon huren. Ze had geaarzeld, gezegd dat ze erover zou nadenken, maar nu had ze in elk geval een excuus. Ze vroeg zich af waarom ze hem zo impulsief voor de bruiloft had uitgenodigd. Ze wist immers dat Gilles hem niet mocht, net zomin als Joost. Van Emma wist ze dat zij ondanks alles door hem werd geboeid. Evenals zijzelf trouwens. Hij was zo levendig en vrolijk. Hij strooide met complimentjes en hoewel ze dat heus niet allemaal serieus nam, was het toch leuk om te horen. Soms was het hier zo saai. Emma was te jong en te mooi om hier in te slapen. Dat was een opmerking van Jules, die hij ook voor haar bedoelde. Natuurlijk zou ze Gilles nooit bedriegen, ze hield immers van hem. Maar de spanning was wel uit hun relatie verdwenen. Alles was al jaren hetzelfde.

Ze besefte echter dat ze voorzichtig moest zijn. Het was of Jules iets gevaarlijks over zich had. Zijn intens blauwe ogen konden haar aankijken op een manier waarvan ze huiverde. Ze had er beter aan gedaan hem niet uit te nodigen. Het was vragen om moeilijkheden.

'Hoe kan ik dat regelen? Mijn vrouw kan niet alleen reizen met twee kleine kinderen.' Jarno keek Emma verwonderd aan.

'Daar moeten we een oplossing voor bedenken,' zei Emma. 'Zou jij willen, Jarno?'

'Dat zij hierheen komen voor jouw bruiloft? Ik heb hen drie maanden niet gezien!'

Dat was genoeg antwoord, dacht Emma.

Toen ze het plan later aan Joost voorlegde, zei hij eerst niets, en ze was bang dat hij dit een onmogelijk plan zou vinden. Bij voorbaat begon ze al een antwoord te verzinnen in de trant van: denk er eens aan hoelang ze elkaar niet hebben gezien, en hoe armoedig ze daar leven. Maar Joost greep haar hand en zei: 'Wat kun jij toch een lieve dingen verzinnen.'

Emma kreeg er een kleur van.

'Je weet dat er regelmatig een vrachtwagen met goederen vertrekt vanuit Terneuzen. Die rijdt ook naar Polen. Daar zou Jarno's familie mee terug kunnen komen. Na ons huwelijk kunnen wij hen misschien terugbrengen. We knopen daar dan gelijk een korte vakantie aan vast. Hoewel het daar wel winter is.'

'Ik hoef niet per se naar een warm land,' zei Emma,

blij met deze snelle oplossing. 'Ik vind het fijn dat je het goedvindt.'

'Ik ben de baas niet. Daarbij, Jarno werkt hier en ik mag hem. Ik zal het regelen met die vrachtwagen. Daarna gaan we het hem vertellen.'

Wat is Joost toch een fijn mens, dacht Emma. Dan dacht ze aan die andere uitnodiging en haar gezicht betrok.

'Is er iets?' vroeg Joost.

Wat kent hij me goed, dacht ze. En met de gedachte dat ze geen leugens of geheimen voor elkaar moesten hebben, zei ze: 'Mijn moeder heeft het in haar hoofd gehaald om Jules uit te nodigen voor de bruiloft.'

Ze voelde de greep om haar hand verstrakken. 'Waarom in vredesnaam?'

'Eerlijk gezegd: ik weet het niet. Ik denk dat ze zich schuldig voelt omdat zij hem min of meer heeft weggestuurd.'

'Nou ja, zij betalen ook een groot deel van de bruiloft. Maar ik denk dat het voor Jarno vervelend is. Als ze elkaar tegenkomen, heb ik bijna het gevoel dat ze naar elkaar grommen.'

Emma lachte even om het geschetste beeld. 'Ze zijn volwassen, ze zullen zich heus wel gedragen,' zei ze, al was ze niet helemaal overtuigd.

'Mijn moeder...' Hij zweeg.

Ze keek hem vragend aan.

'Ik denk dat ze erop staat om mee te mogen als je je bruidsjurk uit gaat kiezen.'

'Nee toch,' schrok Emma.

'Je bent niets verplicht,' zei Joost haastig. 'Het is alleen... het zou misschien iets van de spanning tussen jullie kunnen wegnemen.'

Emma zei niets. Ze was van plan geweest naar een bruidshuis in Brussel te gaan. Dat haar eigen moeder

meeging, daar ging ze eigenlijk van uit.
'Denk er eens over. Ze zit daar maar alleen,' zei Joost nog. Toen liep hij Gilles tegemoet, die juist uit de schuur kwam.
Emma keek hem na. Ze wilde dit niet. Als ze over haar tegenzin heen stapte, deed ze dit uitsluitend voor Joost.
Emma praatte er met Sary over, en zag dat zij ook teleurgesteld was. Zij had zich erop verheugd een dagje met haar dochter uit te gaan. Zo vaak kwam dat niet voor. 'In feite kun je haar niet buitensluiten,' aarzelde ze. 'Het is je schoonmoeder.'
'En ze is alleen,' mopperde Emma. 'Daar komt ze te pas en te onpas mee aan. Ik denk er nog wel over.'

Joost zag kans te regelen dat Jarno met een goederentransport mee kon rijden om zijn vrouw en kinderen te halen. Toen Emma het hem vertelde, liepen bij Jarno de tranen over de wangen. Hij greep haar beide handen en zei: 'Jullie zijn goede mensen. Heel goede mensen.'
Emma vertelde haar vader hoe het geregeld was en hij knikte langzaam. 'Hij is een prima jongen. Ik hoorde dat Jules nu ergens in de buurt van Terneuzen werkt. Bij de boer waar hij eerst was, viel hij een van de dochters lastig. Tenminste, dat denk ik. Hij beweert het tegenovergestelde, zegt dat het meisje hem voortdurend achternaliep. Dat kan ook best waar zijn. Hij is zo'n type dat altijd vrouwen achter zich aan heeft.'
Emma dacht onmiddellijk dat Jules schuldig was. Hij had voortdurend de neiging aan je te zitten, dat had ze zelf ervaren. Ze had hem ook met haar moeder gezien. Misschien was het alles volkomen onschuldig, maar ze waren dit hier niet gewend. Toch bleef hij maar in de buurt. Ieder ander zou vertrekken bij een dergelijke beschuldiging.

Uiteindelijk ging Emma toch met beide moeders een dag naar Brussel. Onderweg vroeg Leentje zich voortdurend af waarom ze per se naar Brussel moesten. Beide moeders zaten achterin en Leentje leverde voortdurend commentaar. Emma merkte dat Sary haar best deed om de sfeer gezellig te houden, maar de voortdurend negatieve opmerkingen van Leentje werkten ook Emma op de zenuwen.

Het was druk onderweg, het was altijd druk op de rondweg van Brussel.

'Ook in Hulst is een bruidsmodezaak,' beweerde Leentje. Stel dat ze niets naar haar zin vond, reden ze dan soms door naar Parijs?

Emma probeerde vriendelijk te blijven. 'We dachten dat je het wel leuk zou vinden om eens wat verder rond te kijken,' zei ze.

'Ga me nou niet vertellen dat jullie voor mij zo'n eind rijden,' klonk het vinnig.

Emma slaakte een zucht die uit haar tenen leek te komen, maar ze zweeg. Het bleef enige tijd stil en Emma begon zich weer wat te ontspannen.

Toen zei Leentje: 'Heb je gehoord dat die vent die bij jullie een kamer had de dochter van De Ridder heeft... bijna heeft verkracht?'

'Zo heb ik het niet gehoord,' antwoordde Sary kortaf.

'Hij viel jou toch ook lastig, Em?'

Het familiaire 'Em' klonk ineens onnatuurlijk en kribbig antwoordde Emma: 'Hij viel mij niet lastig. En willen jullie je mond houden, ik heb mijn aandacht bij het verkeer nodig.'

Het bleef inderdaad stil, maar desondanks reed Emma enkele malen verkeerd door een verkeerde afslag te nemen. Gelukkig kon ze vlak bij het bruidshuis parkeren. Het idee dat ze samen met Joosts moeder een eind door de stad moest lopen, trok haar helemaal niet aan.

Ze werden vriendelijk ontvangen en kregen koffie aangeboden.

'Dat wordt later zeker allemaal verrekend,' zei Leentje niet al te zachtjes.

'Zeker niet, mevrouw, dat is service van de zaak,' zei de verkoopster vriendelijk.

De hieropvolgende uren zou Emma niet snel vergeten. Ze paste diverse prachtige jurken, maar Leentje had overal negatief commentaar op. Te overdreven, te opvallend, te saai of te bloot. Dat laatste vooral. Emma had een mooie halslijn en de schouderloze jurken stonden haar prachtig. Uiteindelijk koos ze voor een japon met een grote kraag.

'U lijkt een prachtige zwaan,' zei de verkoopster hoffelijk.

'Zou daar aan de voorkant niet een stukje stof tussen kunnen? Hij is wel erg diep gesneden,' vond Leentje.

'Dat zou wel kunnen, mevrouw, maar dan is wel het hele model weg. Uw schoondochter heeft een mooi decolleté. Waarom zou ze dat verbergen?'

'Omdat er nog zoiets is als fatsoen,' mopperde Leentje.

Emma had zo langzamerhand het gevoel dat ze in tranen zou uitbarsten als er nog een opmerking kwam.

'Terwijl ik een en ander met mevrouw afhandel, kunt u misschien iets gaan drinken in de gelegenheid hiernaast,' stelde de verkoopster voor.

Sary stond direct op en Leentje volgde, zij het met duidelijke tegenzin.

'Wat moet er nu nog gebeuren?' hoorde Emma haar vragen. Ze keek de verkoopster aan, die even glimlachte.

'Ze is er niet blij mee dat haar zoon gaat trouwen,' veronderstelde de verkoopster.

'Ze is nooit ergens blij om,' zei Emma nijdig. 'Het is

een geluk dat haar zoon anders is.'

'U trouwt niet met zijn moeder.'

Emma zei niets. Ze begon in te zien dat haar schoonmoeder kans zou zien overal vooraan te staan.

'Vind jij die jurk niet te bloot?' vroeg Leentje op dat moment aan Sary.

'Ik vind hem prachtig. Trouwens, het is haar keus. Het is al bijzonder dat wij er vandaag bij mochten zijn.'

'Dat hoort toch zo,' meende Leentje.

'Is dat zo? Ik heb maar één dochter. Dus als het goed is, overkomt mij dit maar één keer.'

'Ik heb maar één zoon. Wat dat aangaat zijn we niet rijk bedeeld. Ik heb weleens gehoord dat Emma...' Ze zweeg plotseling en roerde heftig in haar koffie.

Sary keek haar aan, haar blik was bijna dreigend te noemen. Leentje zou het toch niet wagen daar nu over te beginnen!

Joosts moeder ging er niet op door. Sary wist echter heel goed wat ze had willen zeggen. En dát ze het een keer zou zeggen, daar was Sary zeker van. Gelukkig kon ze er Emma niet meer mee raken, zoals ze misschien wilde, want die wist al hoe het zat. Maar Sary zou wel met haar dochter moeten praten om alle details te vertellen. Want ze wilde niet riskeren dat ze die van haar schoonmoeder zou horen.

Emma vertelde Joost niet alles over die dinsdag. Het zou lijken alsof ze alleen maar kritiek had op zijn moeder. In feite was dat ook zo, maar het zou de sfeer tussen hen niet ten goede komen als ze alle ergernissen doorgaf. Het was het beste dat ze Leentje af en toe zelf tot de orde riep.

De zomer vergleed met rustige, zonnige dagen en enkele weken met veel regen. De trouwdatum was nu vastgesteld op 19 december. Ze zouden direct daarna op reis gaan tot na Nieuwjaarsdag. Ook dit leverde weer het nodige commentaar op van Leentje. 'Met dergelijke dagen laat je je ouders niet alleen. Ik schaam me gewoon om dit aan iemand te vertellen.'

'Dan vertel je het toch niet,' zei Emma.

'Voor jouw ouders is het anders, die zijn nog samen,' dramde Leentje door.

'Wilde je soms mee?' vroeg Joost half plagend.

'Jongen toch, dat zou zij nooit goedvinden.'

'Nee. Maar ik ook niet. Je zou werkelijk de eerste zijn die meeging op de huwelijksreis van haar kinderen.'

Er werd verder niets meer over gezegd. Er was veel werk aan de voorbereidingen voor de bouw van het nieuwe huis voor Joost en Emma. Een moderne keuken en een luxe badkamer moesten er zeker komen. Gilles maakte nergens bezwaar tegen. Emma wist dat hij blij was dat ze op het erf van de boerderij bleven wonen. Hij leek weer wat meer energie te hebben en vaak mopperde hij dat hij ging stoppen met de voortdurende controles bij de trombosedienst, wat direct tot heftige protesten van Sary leidde.

'Ze wil mij nog niet kwijt,' zei hij een keer half spottend tegen Joost.

'Nee, wat dacht je?' Joost vroeg zich af of Gilles had gemerkt dat Sary gecharmeerd was van Jules. Hij was nog steeds in de buurt en enige tijd geleden had hij een enorme bos rozen afgeleverd.

'Dat moet je niet doen,' had Sary toch wel wat gevleid gezegd.

'Er zijn hier in de buurt geen andere mooie vrouwen,' was het antwoord geweest.

Sary had Emma gevraagd de bloemen op haar kamer te zetten. Ze wilde niet dat Gilles hier zo direct mee geconfronteerd werd. Later bleek dat Jules de bloemen gewoon ergens uit een rozentuin had geplukt. Iemand dacht hem gezien te hebben, maar was er ook weer niet zeker van. Joost vroeg zich af wat Jules mankeerde. Hij deed maar wat. Was hij wel helemaal normaal? Je hoorde tegenwoordig zo vaak van afwijkingen met allerlei vreemde namen. In elk geval was het een vreemde vogel, en Joost zou blij zijn als hij eindelijk eens ophoepelde.

6

De bruiloft zou op de boerderij worden gevierd. Ruimte was er genoeg. Het weer liet zich goed aanzien, het was nog niet echt winter.

Er werden niet bijzonder veel gasten uitgenodigd. Met boeren uit de omtrek had ze nooit veel contact. Er kwamen wel enkele vriendinnen, zoals Frederike Zietsma, hoewel Emma van haar al lang niets had gehoord. Zijzelf was de laatste tijd ook veel met zichzelf bezig. Ze besloot diezelfde avond nog naar haar toe te gaan.

Frederike leek nauwelijks blij haar te zien en Emma vroeg zich af of ze soms jaloers was. Zij had nog geen verkering. Emma had het gevoel dat ze haar gepraat over de bruiloft nauwelijks hoorde.

'Je komt toch wel?' vroeg ze een beetje onzeker.

Het meisje duwde in een gewoontegebaar het lange haar naar achteren. 'Ik kan niet beloven dat ik kom,' zei ze.

Verbaasd keek Emma haar aan. 'Natuurlijk kom je. Je bent mijn vriendin.'

'Om eerlijk te zijn...' Frederike zweeg.

'Maar wat is er dan?' Emma begreep er niets van.

'Ik hoorde dat die vent ook komt.'

Emma hoefde niet te vragen wie ze bedoelde. 'Ja,' zei ze zuchtend. 'Hij is door mijn moeder uitgenodigd.'

'Hij heeft mij een paar keer lastiggevallen. Ik ben een beetje bang voor hem. En ik heb geen vriend, dus hij denkt dat ik hunker naar een relatie.'

Emma zuchtte nog weer eens. 'Wat moet ik doen? Ik wil dat je komt.'

'Dan zul je moeten kiezen,' zei Frederike ongewoon kordaat. 'Ik kom niet als hij er is.'

Emma zei niets meer. Dit was het zoveelste dilemma veroorzaakt door Jules.

'Je moet doen wat je graag wilt. Het is jouw trouwdag,' zei Frederike nog.

Zo langzamerhand is het mijn bruiloft niet meer, dacht Emma boos. En ze wist niet wat ze eraan kon veranderen.

Via Joost kwamen er ook enkele vrienden. En dan Jarno natuurlijk. Hij was meegereden met de vrachtwagen met goederen en kwam samen met zijn vrouw en twee kleine kinderen terug. Jarno's vrouw Jelina, een slanke vrouw met enorme bruine ogen, was erg verlegen. Emma vond haar onmiddellijk sympathiek. De kinderen gedroegen zich ook verlegen, wat Gilles deed opmerken dat ze gelukkig niet zo veel praatjes hadden als sommige Nederlandse kinderen. Ze werden ondergebracht in het gastenverblijf waar ook Jules had gelogeerd.

Emma had de laatste al enige tijd niet gezien en ze hoopte dat hij de hele bruiloft zou vergeten. Maar in een kleine gemeenschap als waar zij woonden was dat bijna onmogelijk. Hij was er dan ook tijdens de plechtigheid op het gemeentehuis en ook in de kerk, waar hij vermoedelijk voor het eerst van zijn leven binnenkwam.

'Hij heeft er totaal geen idee van wat wel en niet kan,' bromde Gilles met een woedende blik in zijn richting.

Sary zei niets. Ze wist nu wel dat ze hem niet had moeten uitnodigen. Als hij zich nu maar behoorlijk gedroeg. Ze kon hem toch moeilijk tot de orde roepen.

Toen Emma hem tijdens de kerkdienst voortdurend Jelina's richting uit zag kijken, sloeg de schrik haar om het hart. Hij zou het toch niet in zijn hoofd halen om met Jelina te flirten? Jarno's vrouw was geen type dat hem op zijn nummer zou zetten.

Joost trok haar arm door de zijne. 'Emma, we zijn getrouwd. Probeer alle andere zaken uit je hoofd te zetten.'

Ze keek snel voor zich en drukte zijn hand. Ze zou niet toelaten dat Jules op haar trouwdag alle aandacht naar zich toe trok.

De receptie werd gehouden in de grootste kamer van de Rijnsburghoeve. Sary had deze helemaal leeggemaakt, op enkele stoelen langs de wand na.

'Dat is voor de oudjes onder ons,' spotte Gilles. Even later ging hij er zelf op zitten. Haar vader was nog niet de oude, merkte Emma. Ze wist dat hij enorm veel steun had aan Joost, die hem veel werk uit handen nam.

Jelina en Jarno kwamen hen samen met de twee jongetjes feliciteren. Emma en Joost kregen een handgemaakt wandkleed in warme kleuren, waar iedereen vol bewondering over was. Emma begreep dat deze dag niet gemakkelijk was voor Jelina. Ze sprak de taal niet en was duidelijk verlegen. Ze hield voortdurend de twee kinderen in de gaten. Wat niet nodig was, want ze gedroegen zich keurig.

Ze had Jules niet zien aankomen en kon zijn omhelzing dan ook niet meer ontwijken. Hij kuste haar vol op de mond. Er ontstond een verbaasd gemompel onder de gasten.

'Het is toch wel een schamele bedoening. Geeft niemand jou een zoen op deze mooie dag?' riep Jules, voor iedereen verstaanbaar.

'Het was in elk geval niet zo geregeld dat jij die taak op je nam,' reageerde Joost duidelijk nijdig.

'Niet jaloers zijn, je krijgt nog tijd genoeg met haar.' Jules knipoogde en liep door naar Sary, die hij op dezelfde manier omhelsde.

Gilles stond op en deed een stap naar hem toe. 'Hoepel op,' zei hij woedend.

Jules maakte een afwerend gebaar en liep verder, nagekeken door iedereen die in de buurt stond. Toen ontdekte hij Jelina. Ze stond naast Jarno, ze hadden ieder een kind bij de hand.

Emma greep de hand van Joost steviger vast. 'Alsjeblieft,' fluisterde ze.

Maar Jules zag blijkbaar geen reden om zijn manier van doen te veranderen. Hij greep Jelina bij de schouders en kuste haar evenals Emma op de mond.

De jonge vrouw slaakte een lichte kreet en sloeg de handen voor het gezicht. Het was te zien dat ze zich schaamde. Emma zag wat er ging gebeuren, maar wist niet hoe ze het kon tegenhouden. Jarno sloeg met een welgemikte stomp Jules tegen de grond en liet zich boven op hem rollen. Hij bewerkte hem met zijn vuisten. In een ogenblik ontstond er een chaos. De twee kinderen huilden om het hardst en Jelina probeerde haar echtgenoot tot rede te brengen, hoewel niemand natuurlijk verstond wat ze zei.

Het was Joost die Jarno uiteindelijk bij de kraag van zijn overhemd omhoogtrok. Jules bleef nog even liggen, het effect was dramatisch. Het zou Emma niet verwonderen als hij daarop uit was. Het bloed stroomde uit zijn neus, zijn ene oog zat dicht en zijn kleren zaten onder het zand.

'Sta onmiddellijk op of ik bel de politie,' snauwde Joost.

'Om hem te arresteren.' Jules kwam enigszins moeizaam overeind en wees naar Jarno.

'Om jou af te voeren. Maar ik ga ervan uit dat je zo verstandig bent om zelf weg te gaan. Je hebt nu wel genoeg schade aangericht.'

Jules wierp een minachtende blik op Jarno, die zijn huilende vrouw vasthield. 'Jij bent nog niet klaar met mij,' zei hij dreigend.

Gilles liep nu naar hem toe. Tot Emma's ontzetting had hij zijn jachtgeweer in de hand. 'Pa, niet doen,' hijgde ze.

'Je bruiloft is al genoeg bedorven,' zei haar vader. 'Maar jij...' Hij wees met het geweer naar Jules. 'Als ik jou hier ooit nog zie, aarzel ik niet om te schieten. En ik schiet raak, daar sta ik om bekend.'

Jules keek om zich heen en zag alleen nijdige gezichten. Met een licht schouderophalen begon hij weg te lopen, maar hij bleef bij Sary stilstaan. 'Kan ik me in jouw keuken een beetje opknappen?'

'Je moet gek zijn,' antwoordde Sary.

Jules zei niets meer en liep door. Men keek hem na tot hij door het hek verdween.

'Je ziet het resultaat van je uitnodiging,' beet Gilles zijn vrouw toe. Hij keek naar Emma's terneergeslagen gezicht. 'Laten wij er nog iets van maken. Het is de dag van mijn dochter en haar man.'

De sfeer werd langzaam weer wat ontspannen. Maar natuurlijk gingen de meeste gesprekken over de recente gebeurtenis.

'We hadden die vent nooit binnen moeten laten,' zei Gilles.

'Hij heeft zich opgedrongen,' antwoordde Joost. 'Ik vraag me af of hij wel helemaal normaal is.'

Jarno kwam nu naar hen toe, hij bleef bij Gilles staan. 'Het spijt me zo,' zei hij. 'Maar ik kon niet toestaan dat hij mijn vrouw op die manier aanraakte.'

'Het is niet jouw schuld,' reageerde Emma. 'Je had beloofd muziek te maken. Wil je dat nu doen?' Ze zag dat hij aarzelde. 'Dan worden de mensen weer vrolijk,' drong ze aan. Ze strekte haar hand uit naar Jelina, die bij haar was komen staan. 'Het geeft niet,' zei Emma zacht tegen haar. 'Het is niet jouw schuld. We gaan straks dansen op muziek van Jarno.'

Deze had een gitaar bij zich en na deze gestemd te hebben begon hij een meeslepende melodie. Het duurde niet lang of zijn beide jongetjes begonnen op het ritme mee te stampen. Sommige mensen klapten op de maat. Enkele jongeren gingen meedansen. Jelina keek vol trots naar haar man, die haar iets toefluisterde. Na enige aarzeling begon ook zij te dansen. Haar bewegingen waren soepel en sierlijk. De sfeer verbeterde merkbaar.

Joost strekte zijn hand uit naar Emma. Het werd uiteindelijk een gezellig feest, mede dankzij Jarno en zijn familie. Dat zei Emma hem dan ook op het eind van de avond.

Jarno bedankte met een knikje en zei: 'Het had anders moeten zijn. Het spijt me heel erg. Ik ben heus geen vechtersbaas.'

'Het geeft niet, Jarno, hij had het verdiend,' zei Joost, die ook bij hen was komen staan. 'Wat ik je nog wilde zeggen: vrijdag vertrekt er weer een vrachtwagen naar Polen. Neem die paar dagen daarvoor vrij, dan kun jij je vrouw iets van de omgeving laten zien. Ga maar met de jongens naar een pretpark of zoiets.'

Jelina's donkere ogen straalden toen Jarno haar van Joosts voorstel vertelde. 'U bent goede mensen,' zei Jarno opnieuw.

Emma kneep haar echtgenoot in de arm. Dit was zo'n mooi gebaar van Joost. Het maakte haar blij dat hij aan zulke dingen dacht. 'Wat ontzettend aardig van je,' zei ze dan ook.

'Het zou toch jammer zijn als ze alleen de herinnering aan die vechtpartij meenamen,' antwoordde Joost. 'Op dit moment is het niet erg druk. Daarbij wil ik dat hij begrijpt dat wij hem de aanval op Jules niet kwalijk nemen.'

'Je hebt het feest gered,' zei Emma nog toen Jarno op het punt stond naar hun kamer te vertrekken.

'Pas op voor die man. Hij is gevaarlijk,' zei Jarno.

'Ik schiet hem de volgende keer dat hij zoiets flikt in zijn been,' zei Gilles achter haar.

'Dat lijkt me een nogal heftige maatregel,' zei Joost kalmerend.
'Vind jij het soms goed als hij je vrouw te grazen neemt?'
'Nee. Ik denk dat dit hem inmiddels wel duidelijk is.'

Aan het eind van de avond vertrokken Emma en Joost. Ze zouden in een hotel overnachten voor ze het vliegtuig namen voor een weekje Spanje. Leentje wilde per se dat Joost haar thuisbracht, hoewel er genoeg mensen waren die ook die kant uit moesten.
'Het is misschien de laatste keer dat ik hem zie,' zei ze.
'Niet zo dramatisch, moeder,' zei Joost. 'We gaan maar een weekje weg.'
Leentje antwoordde niet, maar Emma zag de onrust in haar ogen. Was ze bang voor een ongeluk met het vliegtuig?
'We zullen goed op elkaar passen,' zei Emma vriendelijk.
'Sommige zaken heb je niet in de hand. Dat hebben we vanavond gezien. Ik waarschuw je, Joost, laat die vent niet meer hier komen.' Ze wierp een blik op Emma. 'En jij, laat hem niet merken dat je hem zo geweldig vindt. Ik zeg je, hij is niet normaal.' Om eraan toe te voegen: 'Je had hem een klap moeten geven.'
'Hij heeft een aframmeling gehad,' zei Joost geïrriteerd. 'Laten we nu maar gaan, moeder. Wij moeten ook weg. Ik ben zo terug, Emma.'
Ze knikte, hoewel ze betwijfelde of dat laatste hem zou lukken. Zij was in elk geval klaar. Haar koffer was gepakt, haar bruidsjurk hing in het plastic in haar kamer. Ze zat nog even met haar moeder in de keuken.
'Dit kan wel even duren,' zei deze. 'Maar ondanks alles was het toch een mooi feest.'

'Hoewel Jules bijna alles had bedorven,' zei Emma. Ze keek haar moeder aan. 'Vond jij dat niet erg?'
'Ach, we moeten dat niet te veel opblazen. Hij is nu eenmaal een impulsieve man. Dat zijn we hier niet gewend.'
Emma fronste haar wenkbrauwen. Kon haar moeder nog steeds geen kwaad van Jules horen?
'Ik vind de reactie van je vader nogal overdreven. Om met een geweer rond te gaan lopen. Hij is veel sneller boos dan vroeger. Zou dat nog steeds een gevolg zijn van die TIA?'
'Ik vind het wel logisch dat hij boos wordt als jij je door een andere man laat zoenen en dat ook nog prettig lijkt te vinden.'
'Prettig? Ik vond het niet zo dramatisch als jullie. Het was uiteindelijk Jarno die de zaak liet escaleren.'
'Daar denken wij dan toch verschillend over,' zei Emma terwijl ze opstond. 'Jules heeft weinig vrienden in deze omgeving. Doordat hij kwam heeft Frederike het zelfs laten afweten. Hij ziet kans alles te bederven.'
'Frederike draait wel weer bij. Ze is jaloers omdat jij gaat trouwen en zij nog niemand heeft.'
'Daar geloof ik niets van,' zei Emma. Ze hoorde de auto van Joost het erf op rijden.
'Pas goed op jezelf,' zei Sary nog. 'Kom heelhuids weer terug.'
Emma holde nog even de trap op. Haar vader lag al in bed, maar kwam overeind toen hij haar zag. 'Wees gelukkig,' zei hij. 'Joost is een goed mens. En pas op voor die Jules. Hij komt alleen om onrust te zaaien. Ik vertrouw hem niet.'
'Maar waarom zou hij speciaal hier de boel op stelten willen zetten?' vroeg Emma zich hardop af.
'Ik weet het niet. Ik moet dat nog uitzoeken. En dat ga ik ook zeker doen. Ga nu maar. Ik denk dat Joost op je

wacht. Geniet van deze week. Het zal niet zo vaak voorkomen dat jullie zo veel tijd voor elkaar hebben.'

Ze keken elkaar aan en Emma zag dat haar vader geëmotioneerd was. Hij leek inderdaad veranderd. Maar ze wist niet of ze dat nu als negatief of als positief moest zien.

Ze slaakte een zucht van opluchting toen ze eindelijk het hek uit reden, op weg naar het station. Ze zouden de auto daar laten staan, waar je gratis kon parkeren, in plaats van op het dure Schiphol.

'Het lukte mij niet erg om weg te komen,' zei Joost, terwijl hij zijn hand even op haar knie legde. 'Mijn moeder maakt zich ongerust dat je bloot op een Spaans strand gaat liggen.'

'Wat een onzin. Dat doe ik hier toch ook niet?'

'Ze had je bikini aan de lijn zien hangen.'

'Wanneer houdt ze nou eens op? Op mijn trouwdag had ze mij ook het liefst in een boerka gezien.'

'Dat denk ik niet. Maar laten we erover ophouden.'

En dat deden ze. Ze praatten over de afgelopen paar dagen. In het hotel vrijden ze zonder verlegenheid of gêne. Ze kenden elkaar al zo lang, maar hadden zich allebei bewaard voor het huwelijk.

'Zo lang houd ik al van je,' mompelde Joost met zijn gezicht in haar hals.

'Hoelang?' eiste ze.

'Van toen jij vijftien jaar was en ik negentien. Maar ik had nooit gedacht dat het tussen ons iets zou worden. Er is zo veel verschil in onze achtergrond.'

Ze kroop dicht tegen hem aan. 'Ik heb altijd geweten dat we eens voorgoed samen zouden zijn.'

'Blijf je altijd bij me?' vroeg hij.

Ze aarzelde slechts even. 'Je bent mijn verleden, mijn heden en mijn toekomst,' zei ze dan.

Hij hield haar dicht tegen zich aan. 'Wat mooi gezegd.

Dat onthoud ik voor altijd.'

Emma duwde het gevoel van onzekerheid ver van zich af. Soms had ze het gevoel een gevangenschap aan te gaan. En dat was zo belachelijk, daar kon ze met niemand over praten. Zeker niet met Joost. Ze hield echt van hem. Daarvan was ze overtuigd.

Ze genoten van hun vakantie, van het prachtige strand, de stralend blauwe luchten en de aangename temperatuur van zo'n eenentwintig graden. En natuurlijk van elkaar.

'Zullen we dit elk jaar overdoen?' vroeg Joost toen ze al aan de terugreis waren begonnen.

'Als dat zou kunnen.'

'We kunnen er in elk geval naar streven.'

Dat zouden we moeten doen, dacht Emma. Maar nu ging het gewone leven weer beginnen.

Toen ze in de aankomsthal van Schiphol even om zich heen keken, op zoek naar het bord met de vertrektijden van de treinen, hoorden ze een bekende stem.

'Ik dacht wel dat jullie vandaag zouden landen. Het leek me prettig als iemand jullie afhaalde. Of eigenlijk wilde jouw moeder dat dolgraag doen, maar ik dacht: dat is niets voor haar alleen. Dus waarom zou ik niet met haar meegaan? Ze zit nog in de auto.'

Beiden waren ze even sprakeloos.

'Je moeder heeft jullie erg gemist,' zei Jules nog. 'Gaan jullie mee?'

Emma voelde Joosts hand in de hare trillen. Van onderdrukte woede, wist ze. 'Zeg maar niets,' zei ze zacht. 'Geef hem niet de kans nog meer voor ons te bederven.'

Jules liep voor hen uit. Hij keek niet of ze hem wel volgden. Wat moesten ze anders? Leentje zat ook in die auto, kennelijk.

Joosts moeder was inmiddels uitgestapt. Haar blik volgde slechts één persoon: Joost! 'Wat ben ik blij dat jullie er zijn,' zei ze.

'Je had ook thuis op ons kunnen wachten,' antwoordde Joost rustig.

'Jules bood dit zo vriendelijk aan. Voor mij is het een uitje. Ik kom verder nergens.'

Leentje zat achter het stuur en Emma nam plaats op de achterbank, waarop Jules ook achterin wilde gaan zitten. Joost wuifde hem weg. 'Wat mij betreft zit je op het dak. Ik zit naast Emma,' zei hij kortaf.

Jules schoof op de passagiersstoel naast Leentje. 'Stank voor dank,' mompelde hij.

'Dat krijg je ervan als jij je met zaken bemoeit waar je totaal niets mee te maken hebt,' snauwde Joost.

'Niets mee te maken, zeg je? Dat weet ik zo net nog niet. Waarschijnlijk hebben wij meer met elkaar te maken dan je zou willen.

'Uiteindelijk is heel de wereld familie van elkaar. Als je maar ver genoeg teruggaat,' liet Emma zich horen. 'Ik dacht dat je voorgoed weg was,' voegde ze eraan toe.

'Bedankt voor je vriendelijke opmerking. In het voorjaar vertrek ik naar de kust. Maar ik kom altijd weer terug. Zoals een boemerang, zegt mijn broer.'

'Heb je ook nog een broer? Twee van jouw soort is voor mij te veel.'

'Hij is van een ander soort,' klonk het kortaf.

Emma legde haar hand op Joosts knie. Ze wilde niet laten merken dat de tranen haar hoog zaten. Hoe was het mogelijk dat die Jules in het begin indruk op haar had gemaakt? O, hij had nog dezelfde intens blauwe ogen. Maar ze zag er iets in wat ze niet kon benoemen. Was het een gemeen lichtje? Een spottend lachje dat kwam en ging. Ze wist wel zeker: zolang hij in de buurt was, zou ze onrustig en gespannen blijven. Waarschijnlijk was dat ook zijn bedoeling.

Ze mocht zich niet zo laten beïnvloeden. Haar leven ging nu verder, samen met Joost.

7

De eerste tijd na het huwelijk was men nog bezig met de bouw van het huis. Joost werkte op de boerderij, Emma deed wat huishoudelijk werk, zette vele kopjes koffie en studeerde. Twee keer in de week dronk ze koffie met haar moeder. Vanuit de universiteit sprak ze af en toe met Joost af om in de stad tegels uit te zoeken voor de badkamer, of een vloer voor de woonkamer. Zo werd het huis echt van henzelf. Maar Joost kon niet overal bij zijn en liet veel aan haar over. Nu het bijna voorjaar werd, had hij het erg druk. Gilles werkte mee, hoewel niet voor honderd procent. Jarno werd steeds handiger. Hij dacht erover om zijn familie naar Nederland te halen. Eenvoudig was dat zeker niet, en daarbij wilde Jelina in Polen blijven, hoewel ze natuurlijk haar man zou volgen.

Emma zat regelmatig op haar lievelingsplekje achter de schuur. Ze vroeg zich soms af of ze nu gelukkig was. Er was na hun huwelijk niet zo veel veranderd. Ze hield van Joost, maar dat deed ze al jaren. Ze was zelfstandig, haar ouders hadden haar altijd vrijgelaten. Ze had er een schoonmoeder bij gekregen, en een vriendin verloren. Frederike was niet op de receptie van de bruiloft geweest en had ook daarna niets meer van zich laten horen. En dat alles dankzij Jules.

Ter wille van Joost vroeg ze haar schoonmoeder soms te eten. Elke keer vroeg Leentje, rechtstreeks of zijdelings, of er nog geen baby op komst was. Ze was daar enkele weken na hun trouwdag al over begonnen. Emma en Joost hadden besloten nog wat te wachten. Ze was nog jong en volgens Joost zelf nog een kind. Maar soms dacht ze dat een baby toch wat meer inhoud aan haar leven zou geven.

Terwijl ze die morgen op haar vaste plekje zat, haar

studieboek opengeslagen, dacht ze: alles is eigenlijk een beetje saai. Ze zou wat vrijwilligerswerk kunnen gaan doen. In een revalidatiecentrum vroegen ze vrijwilligers om hand- en spandiensten te verrichten. Werkjes waar de verpleegkundigen niet aan toekwamen, zoals koffie rondbrengen, boeken uit de ziekenhuisbibliotheek omruilen, of voor zomaar een praatje of een cliënt meenemen voor een wandeling door het nabijgelegen park. Toen ze dit aan Joost voorlegde, stemde hij er direct mee in. 'Als je dat graag wilt. Je bent er zeker geschikt voor.'

'Waarom denk je dat?' had ze gevraagd.

'Je bent lief, je ziet wat mensen nodig hebben.'

'Toch niet van alle mensen,' had Leentje opgemerkt.

Ik had daarover ook niet moeten beginnen met haar schoonmoeder in de buurt, dacht Emma nu. Ze had overigens nog steeds geen stappen ondernomen.

Vandaag zouden Jelina en haar zoontjes weer komen, deze keer voor een week. Emma had gedacht dat de jongens voorjaarsvakantie hadden, maar Jarno had gezegd dat niemand zich druk maakte als kinderen enkele dagen niet op school verschenen. Het was daar anders dan hier, met alle wetten en regels. Emma wist niet of er in Polen wel een leerplichtwet was en als die er was, hoe streng die dan werd nageleefd.

Ze had de vertrekken voor het Poolse gezin in orde gemaakt. Jarno had al een kamer in dat gedeelte. Sinds de toestand met Jules hadden ze geen kamer meer verhuurd.

'Ik ben daar voorgoed van genezen,' had Sary kortaf gezegd. 'Je vader wil het ook niet meer.'

Ze hadden gehoord dat Jules naar Knokke was verhuisd. Bij goed weer schilderde hij daar op de boulevard. Hij kon goed portretten schilderen en dat scheen genoeg op te leveren om in een eenvoudig hotel te wonen.

Emma dacht juist dat ze hoopte dat hij nooit meer zou

terugkomen, toen ze het rode autootje het erf op zag draaien. En of ze het hadden afgesproken was Sary in de bloementuin voor het huis bezig. Het was weer tijd om de zomerbloeiende bollen te planten.

Emma keek om zich heen alsof ze een vluchtweg zocht. Kwam hij opnieuw hun rust verstoren? Net nu Jelina hierheen kwam. Ze zou hem moeten waarschuwen dat hij zich niet met haar bemoeide. Jelina was doodsbang voor hem.

Emma zag dat hij een bak krokussen uit zijn kofferbak haalde en die aan haar moeder gaf. Ja, attent was hij wel. Hij kuste haar moeder op beide wangen en Emma zag dat Sary zich wat terugtrok. Ze bleven even praten, toen kwam Jules haar richting uit. Als een soort van bescherming sloeg ze haar armen om zichzelf heen. Evenals bij Sary zoende hij haar op beide wangen. De kus op haar mond kon ze al evenmin ontwijken.

'Wat kom je doen?' vroeg ze kribbig, boos omdat haar hart toch weer een sneller tempo aannam.

'Ik kom eens kijken hoe het hier is. Het nieuwe is er al af, denk ik zo. Ben je nog gelukkig?' Zijn hand gleed plotseling over haar buik. 'Nog geen kleine Rijnsburger op komst?'

Ze sloeg naar hem en week tegelijk achteruit.

'Tjonge, is dat zo'n beladen onderwerp?' zei hij op plagerige toon.

'Maak dat je wegkomt,' reageerde ze fel. 'De brutaliteit van jou slaat alles! Je hebt niets met ons leven te maken.'

'Dat heb je mis. Maar je komt er wel een keer achter. Ik kom hier werken.'

'Nee!'

'Joost heeft me gebeld, hij had hulp nodig,' zei hij kalm. 'Hij heeft die Pool vakantie gegeven en nu zijn een paar handen extra zeer welkom.' Hij glimlachte al zijn witte tanden bloot en ze zag weer het gevaarlijke lichtje in zijn ogen.

Ze keek hem met ineengeklemde handen na. Mam zou hem toch niet opnieuw die kamer hebben beloofd? Nee, Jarno woonde daar deze week met zijn gezin. Sary zou hen er niet uitzetten voor Jules. Hoe durfde hij haar trouwens op een dergelijke intieme manier aan te raken! Ze nam zich voor dit niet aan Joost te vertellen. Hij zou zich waarschijnlijk heel erg kwaad maken, en hem onmiddellijk wegsturen. Hij had hem echter niet voor niks aangenomen, hij had hem waarschijnlijk hard nodig.

Ze stond op met de bedoeling naar binnen te gaan. Ze ging zich toch aanmelden voor vrijwilligerswerk. Ze wilde naast het werk op de boerderij een andere bezigheid zoeken voor als ze tegen de zomer afgestudeerd was, en dan kon ze nu alvast ingewerkt worden.

Die middag zaten ze met z'n vieren aan tafel. Het gebeurde niet vaak dat Joost en Emma meeaten. In hun eigen woning waren ze druk bezig met de badkamer en ze wilden de werkmannen niet in de weg lopen.

'Je hebt Jules weer aangenomen,' zei ze.

'Ja. Overigens met instemming van je vader. Ik zit een beetje omhoog en Jules wordt steeds handiger. Het is maar voor een week.'

'Zo komen we nooit van die vent af,' zei ze heftig.

'Hij is hier in geen maanden geweest,' zei Sary.

'De laatste keer was op onze bruiloft en dat is nog maar twee maanden geleden.'

Sary zweeg even. 'We zullen weinig last van hem hebben. Hij slaapt bij Leentje,' zei ze dan.

'Wat? Waarom in vredesnaam? Hij slaapt bij jouw moeder,' wendde ze zich tot Joost.

'Ja, dat hoorde ik ook net. Ze belde mij. Jules was het komen vragen en mijn moeder zag geen reden om te weigeren.'

'Wat denk je van het feit dat hij op onze bruiloft aan het vechten sloeg? Natuurlijk, jouw moeder is maar alleen. Wij gaan er tenslotte haast nooit heen.' Emma hoorde zelf hoe vinnig ze klonk.

'Em, toe nou,' suste Joost. 'Het is gewoon werk. Hij moet toch ergens slapen.'

'Wat mij betreft slaapt hij in een boom,' zei Emma, nog steeds nijdig.

Gilles, die al die tijd rustig door had gegeten, legde zijn vork neer. 'Ik heb er niet bij stilgestaan dat je zo'n hekel aan hem hebt. Het is maar tot Jarno weer begint.'

'Ik zou aan Jarno kunnen vragen...' begon Joost, maar Emma schudde het hoofd. Jarno verdiende die week met zijn gezin. Ze deed er verder het zwijgen toe. Ze wilde niet zeggen hoe Jules haar had aangeraakt. Het zou lijken alsof ze niet voor zichzelf kon opkomen. Ze moest er alleen voor zorgen hem niet tegen te komen.

Om te beginnen ging ze die middag naar het revalidatiecentrum om te kijken wat de mogelijkheden waren. Ze ging met haar vaders auto. Joost had die van hen aan Jarno geleend zodat hij er met zijn vrouw en kinderen een dagje op uit kon gaan. Dat zou ook een confrontatie schelen tussen Jarno en Jules.

Het lukte gelukkig, want Jarno, Jelina en de kinderen kwamen pas laat terug. Toen de beide jongens sliepen, stelde Jarno voor om nog een wandeling te maken rond de boerderij. Hij wees haar het woonhuis, de schuur, het huis in aanbouw van Emma en Joost en alle ruimte om hen heen.

Ze waren vlak bij het huis toen Sary kwam aanhollen. 'Je zoon huilt. Hij heeft eng gedroomd, denk ik. Hij is een beetje bang voor mij.'

'Ik ga wel. Ik ben zo terug.' Jarno was al weg. Sary liep hem achterna en Jelina bleef aarzelend staan. Ze wist dat Jarno graag de zorg voor zijn zoontjes op zich nam, nu hij deze week de kans kreeg. Daarbij zat er iets van romantiek in een wandeling in het donker.

Ze liep langzaam verder, het hek uit, naar de door bomen omzoomde weg. Bomen die daar roerloos stonden in de stille avond als enorme donkere reuzen.

Toen ze meende iets te horen, schrok ze even. Maar echt bang was ze niet. Bij haar huisje in Polen was het veel donkerder. Ze bleef weer staan en keek om zich heen. Misschien was het toch beter om terug te gaan. Ze hadden nog enkele dagen om samen te wandelen. Als ze dit zijpad op liep, kwam ze vlak bij hun onderkomen terecht, meende ze te weten. Ze liep nu wat sneller, en opeens viel ze. Wat er precies gebeurde kon ze later niet navertellen. Het leek alsof er een tak tussen haar voeten werd gestoken, waar ze over struikelde. Ze wilde overeind krabbelen, maar werd tegengehouden door twee sterke handen. Ze wilde gillen, maar een hand werd op haar mond gedrukt. Jelina staarde naar de donker wordende hemel, terwijl de tranen over haar gezicht liepen.

Ze wist wat er ging gebeuren, natuurlijk wist ze dat. Kwam Jarno maar! Hij zou haar vast niet zoeken op dit smalle pad tussen de struiken. Maar ze mocht dit niet laten gebeuren. Ze moest vechten. Ze was van Jarno.

Ze begon te worstelen en te schoppen. Dit leek de man agressief te maken.

'Vuile Poolse teef,' zei hij.

Jelina kon hem niet verstaan, maar ze herkende de stem wel. De man rukte aan haar kleren, haar rok scheurde. De rok waarin ze had gedanst. Op hetzelfde moment hoorde ze Jarno's stem: 'Jelina, waar ben je?'

De man maakte een schrikbeweging en dat gaf Jelina de kans haar hoofd weg te draaien. Ze gilde, waarop ze een klap in haar gezicht kreeg. De man stond op en verdween snel tussen de struiken. Jelina bleef snikkend liggen, ze riep de naam van haar echtgenoot. Ze hoorde hem aankomen en werkte zich in zittende houding.

Toen was Jarno daar. Hij zag zijn vrouw, hoorde haar gesnik en zag een bleek been tussen haar gescheurde rok doorschemeren. Hij knielde bij haar neer en nam haar in zijn armen.

'Wat is er gebeurd? Ben je gevallen?'

Maar Jelina schudde het hoofd en Jarno begreep dat ze bang was.

'Kom, we gaan naar huis,' zei hij zacht. Hij hielp haar overeind en prevelde: 'Stil maar. Even stil zijn. Vertel het mij straks maar.'

Ze liepen langzaam terug naar de twee kamers waar Jarno zich al een beetje thuis voelde. Jelina had zich onzeker gevoeld doordat ze de taal niet sprak. Maar ze waren samen en de kinderen genoten van de ruimte om hen heen. Ze mochten spelen met een oude tractor die was afgedankt en er was een kinderfiets. Dit alles had gemaakt dat Jelina toch van deze logeerpartij genoot. Maar nu? Wat was er gebeurd? Jarno zat tegenover haar, hij zag haar spierwitte gezichtje, en haar wang waarop zich een rode vlek aftekende. Haar lip bloedde. Jarno begon een angstig vermoeden te krijgen.

'Wat is er gebeurd, Jelina?' vroeg hij nog eens dringend. Hij wilde het antwoord wel uit haar trekken. Maar ze zweeg en staarde voor zich uit alsof ze iets vreselijks had gezien. Of hij wilde of niet, Jarno moest wel denken aan de mogelijkheid van iemand die haar kwaad had willen doen. En daarvoor kwam maar één persoon in aanmerking. Hij duwde de gedachte daaraan steeds weg, maar deze kwam steeds vaker terug.

'Was het een man?' vroeg hij eindelijk.

Jelina boog het hoofd. Meer antwoord had hij eigenlijk niet nodig. Hij stond op en begon heen en weer te lopen als een gekooide wolf. Zijn handen waren tot vuisten gebald. Wie durfde zijn vrouw een haar te krenken? Hij moest het weten. Hij draaide zich naar haar om en keek haar indringend aan.

'Jelina, ben je verkracht?'

Haar ogen liepen vol tranen, maar ze schudde haar hoofd. Een golf van opluchting ging door hem heen. Dat was dus niet gebeurd. Maar iemand had het wel geprobeerd. Het moest haast die Jules zijn. Hij zag hoe van streek Jelina was en besloot verdere vragen uit te stellen. Hij kon nu toch niet op onderzoek uit gaan. Hij wilde haar nu niet alleen laten.

Toen Jelina die nacht eindelijk begon te praten, was het eerste wat ze zei: 'Laten we naar huis gaan.'

'Over drie dagen kunnen we met de vrachtwagen mee,' antwoordde Jarno.

'Drie dagen is voor mij te lang. Het is hier gevaarlijk.'

'Wie was het, Jelina?' vroeg Jarno voor de zoveelste keer.

'Ik weet het niet... Het was donker.'

Jarno betwijfelde of ze de waarheid sprak, maar hij vroeg niet verder, wetend dat het toch niets zou opleveren.

De volgende dag was het helder voorjaarsweer en Jarno stelde zijn vrouw voor om een dag naar België te gaan. Ze schudde heftig het hoofd, zei alleen: 'Ik wil naar huis.'

Jarno keek naar buiten, waar zijn twee zoontjes achter elkaar aan renden. 'Zij vinden het hier geweldig,' probeerde hij.

'Voor hen is het hier misschien ook gevaarlijk.'

Jarno zuchtte. Over het algemeen was zijn vrouw meegaand, hij had haar zelden zo koppig meegemaakt. Hij ging naar buiten en deed mee met het spel van de jongens. Toen Joost naar hen toe kwam, wist hij eerst niet wat te zeggen. Jelina wilde absoluut niet vertellen wat haar was overkomen. Maar de gedachte dat iemand anders ook gevaar kon lopen deed hem een besluit nemen.

'Het is prima weer om naar het strand te gaan. Het is er nu nog rustig, het toerisme is nog niet op gang,' zei Joost. 'Je kunt ook naar het Zwin gaan. De natuur is daar mooi.'

'Jelina wil naar huis,' zei Jarno.

'Nu al? Waarom? Heeft ze heimwee? Ik dacht dat ze het hier naar haar zin had?'

'Dat was ook zo. Tot gisteren.'

'Gisteren?' herhaalde Joost.

'Gisteravond was Jelina even alleen buiten. Ik was bij Mischa omdat hij huilde. Toen is mijn vrouw aangevallen.'

'Aangevallen?' zei Joost verschrikt. 'Waar, en door wie?'

'Dat weet ze niet, of ze wil het niet zeggen.'

'Dat moet ze zeggen. Dan moet de politie gewaarschuwd worden.'

'Dat wil ze absoluut niet,' antwoordde Jarno met een begin van paniek in zijn stem.

'Luister, Jarno, als hier in de buurt iemand rondloopt die vrouwen...' Joost aarzelde. 'Verkracht?' zei hij dan half vragend.

Jarno schudde heftig het hoofd. 'Zover kwam het niet. Ik verstoorde hem, denk ik.'

Op dat moment zag Joost Jules aankomen. Hij schrok. Jules zou toch niet... Nee, zoiets deed hij niet. Hij was een vervelende kerel, een rokkenjager, maar hij kon vrouwen genoeg krijgen, hij hoefde geen geweld te gebruiken. Daarvan was Joost overtuigd.

'Wat zijn de werkzaamheden, baas?' vroeg Jules even stilstaand. Hij wierp slechts een vluchtige blik in Jarno's richting.

Deze keek met gefronste wenkbrauwen naar hem. Zou die Jules...? Jarno kon het toch niet geloven. Jules was een keurige heer, zelfs als hij aan het werk was, zag hij er netjes uit.

'Heb jij hier iemand gezien die hier niet thuishoort?' vroeg Joost.

'Jazeker. Ik zie hem nu hier staan.' Jules maakte een gebaar in Jarno's richting.

'Je weet dat ik het zo niet bedoel. Jarno's vrouw is gisteravond aangevallen toen ze even alleen buiten was.'

'Mooie vrouwen moeten niet alleen buiten zijn als het donker is.'

'Ik stelde een serieuze vraag,' zei Joost geïrriteerd.

'Ik heb niemand gezien. Je weet dat ik bij Leentje was. Kan Jarno's vrouw een signalement doorgeven?'

'Ze wil er niet over praten,' zei Joost met een blik naar Jelina.

'Dan is het misschien niet gebeurd,' zei Jules luchtig.

Joost zag dat Jarno zijn handen tot vuisten balde en wist dat het niet lang zou duren of hij vloog Jules aan. Die vent lokte het gewoon uit met zijn vervelende opmerkingen.

'We halen straks de koeien naar buiten. Ik kom er zo aan.' Jules liep weg, maar niet nadat hij een blik op Jelina had geworpen.

Jarno zag het spottende lachje in Jules' ogen en keek hem achterdochtig na. Jules liep nonchalant de richting van de stallen uit en Jarno dacht voor de tweede keer: dit kan niet waar zijn. Maar wie dan? Hij had Jules enkele malen naar zijn vrouw zien kijken, en hij wist dat Jelina de gebeurtenis niet duidelijk kon of wilde overbrengen.

Jarno volgde Joost naar binnen. Hij zou Jelina onder druk moeten zetten. Ze hoefde zich niet te schamen. Wat er ook gebeurd was, het was zeker niet haar schuld.

Toen ze die middag aan tafel zaten, viel het niet op dat Jelina haast niets zei. Ze was altijd stil, praatte alleen wat met Jarno. Niemand kon haar immers verstaan.

Emma raakte voorzichtig de blauwe plek op Jelina's wang aan. 'Hoe komt dat?' Ze keek vragend naar Jarno.

'Ik weet het niet,' antwoordde deze kortaf.

Emma vroeg niet verder. Stel dat Jarno zelf handtastelijk was geweest. Nee, ze geloofde niet echt dat Jarno zijn vrouw zou slaan. Aan de andere kant: wat wist ze van hun huwelijk? Ze voelde Jarno's blik op zich en opeens zei hij: 'Ik was het niet.' Het was alsof hij haar gedachten kon lezen.

'Wat is er gebeurd?' vroeg ze opnieuw. 'Is ze gevallen?'

Jarno aarzelde. Dit toegeven zou alle verdere vragen beantwoorden. Tenminste, als ze het geloofden. Hij keek zijn vrouw even aan, zei dan: 'Jelina wil naar huis.'

'Maar dat is pas aan het einde van de week,' mengde Sary zich in het gesprek.

'Ze is gisteravond aangevallen,' zei Jarno dan, 'ze wil er alleen niets over zeggen. Maar dat ze bang is, is duidelijk. Ik wil dat ze aangifte doet.'

'Natuurlijk moet ze dat doen,' zei Gilles nu. 'Lui die zoiets doen, moeten worden opgepakt.'

Jelina stond plotseling op en verliet het vertrek. Ze kon dan wel niet verstaan wat er gezegd werd, maar ze begreep heel goed dat het over haar ging.

'Wie was het, Jarno?' vroeg Emma nu rechtstreeks.

Deze haalde zijn schouders op. 'Ik kan maar één naam bedenken: Jules. Toen ik hem vanmiddag zag dacht ik niet dat hij ertoe in staat was, maar verder is hier niemand die zoiets zou doen.'

'Een fietser, of een jogger,' probeerde Emma. Ze wilde niet geloven wat Jarno suggereerde.

'Jules doet zoiets niet,' beweerde Sary nu. 'Hij is een

flirt, hij houdt van vrouwen, maar hij is niet gewelddadig.' Ze dacht aan Jules' strelende hand op haar rug en kreeg onverhoeds een kleur.

'Je bent goed op de hoogte,' merkte Gilles op. 'Maar ik zou niemand anders weten. Zoiets gebeurt hier nooit. Ik ga hem een schot hagel in zijn achterwerk schieten. Hij bederft de enkele vakantiedagen van deze twee mensen.'

'Dat kun je niet doen. Als je dat doet, word je opgepakt.'

'Het is ook verboden om een vrouw aan te vallen, waarschijnlijk met de bedoeling haar te...'

'Gilles, als je zo'n hekel aan hem hebt, waarom heb je hem dan weer aangenomen?'

'Ik had even geen andere keus. En denk niet dat ik niet weet waarom jij het zo voor hem opneemt.' Gilles schoof het bord met een halve boterham erop van zich af alsof het eten hem ineens tegenstond. Hij stond op en verliet de keuken. Ze hoorden hem naar buiten gaan.

Emma en Joost keken elkaar aan. Wat was dit? Wat was er mis tussen haar ouders?

'Wat hem toch mankeert tegenwoordig,' mompelde Sary.

'Ik geloof dat hij zijn oren en ogen open heeft,' zei Jarno, die ook opstond om naar zijn vrouw toe te gaan.

'Wat is hier toch aan de hand? Het lijkt wel of iedereen geheimen heeft,' zei Emma terwijl ze van de een naar de ander keek. 'Het is allemaal begonnen sinds Jules hier rondloopt.'

'O nee,' zei Sary ongewoon fel. 'Je kunt hem maar niet overal de schuld van geven.' Ze stond op om de tafel af te ruimen, en keek even misprijzend naar Gilles' niet opgegeten boterham.

Joost verdween naar buiten en Emma naar de bouwplaats. Ze kon daar niet veel doen, maar bij haar moeder blijven trok haar ook niet bepaald. De sfeer tussen hen was gespannen. En dat had wel degelijk met Jules te maken. Sary wilde geen kwaad woord van hem horen.

Het was toch niet mogelijk dat haar moeder verliefd op Jules was geworden? Bij Jules vergeleken was haar vader eigenlijk saai. Sary was nog jong, pas eenenveertig. Gilles was meer dan vijftien jaar ouder. Hij was nooit een uitbundig figuur geweest. Dat was er na zijn ziekenhuisopname niet beter op geworden.

Ach, ze moest zich geen dingen in het hoofd halen. Maar toch, wat wist ze van het huwelijk van haar ouders? Hielden ze van elkaar? Zoiets vroeg je niet. Dat was iets wat je als kind als vanzelfsprekend aannam.

Ze tuurde door het raam, zag Sary bezig met ramen zemen. Ze zag ook dat Jules er weer aankwam en bleef staan. Ze praatten even en Sary lachte vrolijk en dreigde hem met haar wisser.

Emma keek dit met gefronste wenkbrauwen aan. Toen ze zag dat Jules een hand op haar moeders schouder legde, wendde ze zich af. Het was maar een vluchtige aanraking, maar dat haar moeder zich dit liet welgevallen, zat haar niet lekker.

Het stelde natuurlijk niets voor, dacht ze even later. Maar toch had ze Sary nooit zo gezien. Zelfs niet met haar eigen man.

Emma herinnerde zich nu dat zijzelf daar jaren terug eens een opmerking over had gemaakt.

'Wij zijn niet zo aanhalig, zeker niet in het openbaar,' had Sary toen geantwoord.

Emma ging de keuken in met de bedoeling koffie te zetten voor de mensen die in haar badkamer bezig waren. Ze wilde zich verder niet druk maken over haar moeders houding tegenover Jules. Het was ondenkbaar dat haar moeder iets zou hebben met Jules. Ik kan me beter zorgen maken om Gilles, dacht ze ineens weer nijdig.

Ze bracht even later het blad met de koffie naar de twee mannen in de badkamer.

'Die vent die hier rondloopt, werkt die ook bij jullie?' vroeg de jongste.

'Welke vent?' hield ze zich van den domme.

'Die met dat lange haar.'

'Ja, die werkt tijdelijk bij ons. Hoezo?'

'Ik zag hem ook een keer in Knokke. Hij had nogal wat vrouwvolk achter zich aan.'

'Hij is jaloers,' grinnikte de ander.

'Ik vind dat hij zich aanstelt als een puber. Hij moet toch wel de leeftijd van je moeder hebben.'

'Naar zijn leeftijd heb ik hem nooit gevraagd,' antwoordde Emma kribbig.

'Het zijn onze zaken niet,' zei de oudere man met nu een waarschuwende blik naar de ander.

Emma zette het blad neer en liep weer terug naar de woonkamer. Was het deze twee ook opgevallen hoe Jules met haar moeder flirtte? Ze moest Sary echt waarschuwen.

Ze wilde de deur uit gaan toen deze met een klap opensloeg. Jelina viel tegen Emma aan, zodat deze bijna haar evenwicht verloor.

'Wat is er? Wat is er gebeurd?' Emma hield Jarno's vrouw bij de schouders vast en kreeg de neiging haar heen en weer te schudden toen ze haar onverstaanbare gebrabbel hoorde. Natuurlijk kon ze haar niet verstaan.

'Waar is Jarno?' vroeg ze, en ze herhaalde zijn naam enkele keren. Jelina wees naar buiten en Emma opende de deur om de twee mannen vechtend over de grond te zien rollen. Jarno en Jules!

We hadden hem niet meer moeten aannemen, dacht

Emma voor de zoveelste keer. 'Houden jullie op!' schreeuwde ze.

Jarno was de eerste die overeind krabbelde. 'Het spijt me,' zei hij.

'Wat is er nu weer?' vroeg ze boos.

'Hij viel me aan,' zei Jules, op zijn tweede bloedneus binnen korte tijd wijzend.

Emma keek Jarno nu vragend aan.

'Jelina was met mij buiten en zag hem. Toen zei ze: 'Hij was het', en ze vluchtte weg. Ik weet genoeg.'

Emma wist ook genoeg. 'Jelina is binnen. Ga naar haar toe,' zei ze.

Toen Jarno weg was keek ze naar Jules, die zijn kleren stond af te kloppen.

'Wil je een borstel?' vroeg ze minachtend.

'Die vent is gek,' antwoordde hij.

'Ik vraag me af wie van jullie twee er gekker is. Jij was het dus die Jelina aanviel. Laat ik dat nu al die tijd hebben gedacht.'

'Ik had wel verwacht dat jij me dat in de schoenen zou schuiven. Maar je hebt het bij het verkeerde eind. Ik was bij Leentje. Waarom vraag je het haar niet? Heb je trouwens in dat verband ook al aan Joost gedacht?'

'Hoe durf je!' viel ze uit.

'Is hij soms een heilige?' Hij haalde zijn schouders op en liep weg.

Emma keek hem na. Joost? Hij zou zoiets nooit doen. Ze kende hem al haar hele leven. Toch bleef het in haar gedachten. Ze zou er met hem over praten. Als ze hem een keer alleen zag. Ze wilde ook met haar moeder praten, en zeggen dat het opviel dat ze zo goed overweg kon met Jules.

We hadden hem nooit onderdak moeten geven, dacht ze voor de zoveelste keer. Nu was deze week snel genoeg om, maar Jules scheen steeds een andere reden te hebben om te blijven.

Leentje zou hem stellig niet wegsturen. Zij was gecharmeerd van hem geraakt, evenals haar moeder.

Emma ruimde de kopjes op en liep terug naar de boerderij.

8

In de keuken was haar moeder bezig met de maaltijd. Ze hoorde Emma blijkbaar niet binnenkomen, ze neuriede zacht voor zich heen. Waarschijnlijk was ze toch verliefd, meende Emma. En als ze aan die verliefdheid toegaf, waren de problemen niet te overzien.

'Waar is pa?' vroeg ze. Haar woorden klonken hard in de stille keuken.

Sary maakte een onverhoedse beweging. 'Ik schrik van je!'

'Slecht geweten?' informeerde Emma.

Sary draaide zich om. 'Dit klinkt niet als een grapje. Bedoel je er iets mee?'

'Ik wou dat je ermee ophield om met Jules te flirten. Het begint op te vallen.'

'Wat een onzin. Het verschil met jullie is alleen dat ik geen hekel aan hem heb.'

'Dat zou je wel moeten hebben. Hij is degene die Jelina heeft aangevallen.'

'O ja? Hoe weet je dat zo zeker? Zij is voor ons onverstaanbaar. Misschien wil ze alleen aandacht.'

Emma keek haar moeder ongelovig aan. 'Dus zo denk je erover. Weet pa dat?'

'Je vader is zo met zichzelf bezig. Ach, laat ook maar. En dat alles omdat ik Jules niet als een paria behandel.'

'Ik eet met Joost bij mij thuis,' zei Emma.

'Maar jullie huis is nog niet eens klaar.'

'Nou en. De keuken zit erin en we hebben een eettafel, dus we redden ons wel. Doei,' zei ze nog en ze verliet de keuken. Wat was er tussen haar en haar moeder gebeurd? Er leek een spanningsveld tussen hen te zijn ontstaan. Ze moest zich al sterk vergissen als Jules hier niet mee te maken had. Het begon erop te lijken dat Sary inderdaad verliefd was op Jules. Hoe kon zij ervoor zorgen dat dit niet uit de hand liep?

'Je hebt gelijk om hier te eten. Steeds bij je ouders over de vloer is ook niet gezond,' zei Joost toen hij wat later binnenkwam. Hij hield haar even dicht tegen zich aan en kuste haar op de wang. 'We zijn te weinig alleen,' mompelde hij. Als om zijn woorden te bevestigen kwam een van de werknemers uit de badkamer binnen. Hij floot zachtjes tussen zijn tanden en Joost liet haar snel los.

'We doen niets verkeerd,' zei Emma.

'Weet ik. Maar de hele wereld hoeft geen getuige te zijn van het feit dat ik jou een zoen geef.'

'Ze waren weer aan het vechten,' zei ze. Ze hoefde niet eens te zeggen wie ze bedoelde.

'Ik dacht vanmorgen nog: wanneer zal de vlam weer in de pan slaan?' zei Joost nuchter.

'Stuur hem toch weg!' zei ze heftig.

'Het probleem is dat we hem nodig hebben nu Jarno een week vakantie heeft. Je vader is niet meer degene die hij was. Het lijkt of hij geen energie meer heeft.'

'Misschien valt het hem op dat moeder Jules wel erg aardig vindt.'

'Wat?' Joost schoot in de lach.

'Jules zei dat jij misschien degene was die Jelina heeft aangevallen.'

De lach bevroor op Joosts gezicht. 'En jij geloofde dat?'

'Natuurlijk niet. Stuur die vent weg, Joost. Toe nou. Ik kan helpen, dat heb ik eerder gedaan. Ik wil dat hij vertrekt.' Haar stem beefde.

Joost keek haar opmerkzaam aan. 'Wat heb je eigenlijk? Valt die kerel je lastig?'

'Niet echt. Maar sinds hij hier is, zijn er problemen. Mam houdt hem voortdurend de hand boven het hoofd. Waarom ze dat doet, is mij een raadsel. Hij zegt gemene dingen over jou. Hij is gevaarlijk, Joost. Hij zaait onrust.

Het is bijna zeker dat hij degene is die Jelina aanviel.'
'Of ik was het.'
'Toe nou, Joost.'
Zijn bruine ogen keken haar koel en afstandelijk aan.
'Je weet best dat ik dat niet geloof.'
'Moeder vindt het prettig dat hij bij haar is,' zei Joost zonder op het laatste in te gaan. 'Ze heeft dan wat gezelschap.'
'Hij windt iedereen om zijn vinger,' zei Emma. Heel deze toestand maakte haar zo langzamerhand wanhopig. 'Ik dacht dat wij het samen fijn zouden hebben. In plaats daarvan is er steeds wat. Die kerel deugt niet.'
'Zo gauw Jarno weer aan het werk gaat is hij weg,' zei Joost. 'Maar dat wil nog niet zeggen dat hij dan ook bij mijn moeder vertrekt. Ik moet je trouwens iets belangrijks vertellen, Emma. Er is mij gevraagd om mee te werken aan een landbouwproject in Ethiopië. Het gaat vooral om voorlichting.'
'Ethiopië? Ga je daarheen?'
'Ik wilde het eerst met jou bespreken.'
'Maar je hebt al toegezegd,' veronderstelde ze.
'Onder voorbehoud.'
'En het werk hier dan?'
'Er komen twee jongens van de landbouwhogeschool stage lopen. En Jarno en je vader zijn er ook nog. Het werk hier wordt heus wel goed geregeld.'
'Je wilt graag,' veronderstelde ze.
'Het is een unieke kans. Het is maar voor twee weken. Ik ben terug voor het echte zware werk begint. Ik denk dat het voor ons ook goed is. Dan weten we weer hoe we elkaar nodig hebben.'
'Je laat mij hier achter terwijl die vent hier nog rondloopt.'
'Ik vertrouw je,' zei hij eenvoudig.

De plannen van Joost lieten Emma niet los. Ze wilde hier niet alleen blijven. Maar dat was natuurlijk te kinderachtig om over te praten. Ze had echter het gevoel dat ze niet veilig was zolang Jules hier rondliep. Maar ze wilde Joost niet tegenwerken. Hij wilde dolgraag.

De dag kwam dat Jarno met Jelina en de kinderen weer vertrok. De jonge vrouw nam wat verlegen afscheid.

'Het spijt haar dat ze zo veel last heeft veroorzaakt,' zei Jarno.

'Dat was zij niet,' antwoordde Emma. 'Het was leuk haar te leren kennen.'

Ze zwaaiden toen de auto wegreed, en de twee jongetjes drukten hun neus tegen de ruiten. Vier en vijf jaar waren ze, en Jelina was tweeëntwintig. Ze was dus pas zeventien jaar toen haar eerste kindje werd geboren. Toch wel erg jong in Emma's ogen. Zijzelf was er nog niet aan toe. Was dat een teken dat ze niet voldoende van Joost hield? Zeker niet. Maar er waren zo veel andere zaken die haar aandacht vroegen. En nu zou Joost binnenkort naar Ethiopië vertrekken. Hij nam zonder meer aan dat zij wel achter dit plan stond. De laatste twee dagen hadden ze het nergens anders over. Gilles was niet enthousiast. Hij was bang dat zijn bedrijf eronder zou lijden. Maar Joost wist hem gerust te stellen.

Toen Gilles de twee tijdelijke werknemers had ontmoet, had hij er vrede mee. Jules had voorgesteld dat hij die twee weken dat Joost weg was nog zou blijven, maar Gilles had geweigerd.

'Maar dat is toch onzin, man. Je hebt zelf gezegd dat hij goed werkt,' pleitte Sary.

'Er zijn zaken die mij niet aanstaan. Als Joosts moeder dat nu ook maar eens doorkrijgt, dan kan zij hem wegsturen. Hij zal niet zo gemakkelijk weer onderdak krijgen. Hij raakt bekend, zo niet berucht.'

'Leentje vindt hem aardig,' wist Sary.

'Natuurlijk, alle vrouwen vinden hem aardig. Bah!' Het kwam er zo hartgrondig uit dat Emma voor de zoveelste keer dacht: er zit pa meer dwars in verband met Jules.

Op een avond later die week was Emma in de schuur bezig een kalfje te laten drinken. Ze hield van dit werkje. De warme geur van het jonge lijfje, het gretige geslobber. De afhankelijkheid van het dier ontroerde haar. 'Als ik er niet was, wat moest er dan van jou terechtkomen?' zei ze zacht. 'Je mag je niet te veel aan mij hechten. Nu denk je dat ik je moeder ben.'

'Volgens mij ben jij er wel aan toe om moeder te worden,' klonk een bekende stem.

Ze keek met een ruk op, recht in Jules' helblauwe ogen. Ze kreeg een kleur en geneerde zich een beetje om wat hij had gehoord.

'Wat ben je toch een prachtig plaatje,' zei hij.

Ze antwoordde niet, en liet het kalfje het laatste restje opdrinken.

'Hoe heet ze?' vroeg hij.

'Jasper,' antwoordde ze kortaf.

'Ach, het is een jongetje. Alleen geboren om goed te eten en dan naar het abattoir.'

Emma ging er niet op in. Dit was een van die dingen op de boerderij waar ze zelf ook veel moeite mee had. Ze sloot even later het hek zorgvuldig achter zich. Hij liep voor haar uit en hield haar bij de deur tegen door zijn beide handen naast haar hoofd te zetten. Zijn lichaam hield haar tegen de wand gevangen.

'Ik kom afscheid nemen,' zei hij.

'Laat me los!' siste ze.

'Pas als ik op een fatsoenlijke manier afscheid heb genomen.'

'Je gaat dus nu weg. Wordt de grond je te heet onder de

voeten? Jelina kun je niet meer lastigvallen, zij is ook weg.'

Hij schudde haar heen en weer en zei nijdig: 'Ik heb haar niets gedaan. Nogmaals, vraag het aan Joost. Hij is een man die graag een mooie vrouw ziet. Jij bent ook een mooie vrouw, maar wel een beetje een ijskonijn.' Onverhoeds drukte hij zijn lippen op de hare.

Ze worstelde om los te komen en verloor bijna haar evenwicht, greep hem bij de arm en sloot haar ogen voor de zijne, die te dichtbij waren. Zijn warme adem streelde haar wang, haar hart sloeg op hol en juist toen ze opnieuw een poging deed om los te komen, klonk een stem: 'Wat heeft dit te betekenen?'

Tergend langzaam liet Jules haar los. Emma legde haar handen tegen haar warme wangen. Ze keek naar Joost en wist niet wat te zeggen. Welk excuus kon ze aanvoeren? 'Hij greep me onverwacht vast,' zei ze eindelijk.

'Het zag er niet naar uit alsof je dat erg vond,' zei Joost. Zijn stem beefde van onderdrukte woede.

'Ik kwam afscheid nemen,' zei Jules nu. Hij liep langs Joost naar buiten, maar niet voor hij Emma's wang had gestreeld. 'Als Joost ook zo veel passie in jou wakker maakt, dan benijd ik hem,' zei hij nog.

Emma bleef tegen de wand geleund staan. Ze stond op het punt om in tranen uit te barsten, maar ze wilde Joosts medelijden niet opwekken.

'Is hij de reden dat ik voortdurend het gevoel heb dat je spijt hebt van ons huwelijk?' Joost klonk nog steeds boos.

'Dat is niet zo. Je weet dat ik een hekel aan hem heb,' zei ze heftig.

'Kan zijn. Maar dat betekent tevens dat je gevoelens voor hem hebt. Hij laat je niet onverschillig. Hij heeft het over passie. Daar heb ik inderdaad nooit veel van gemerkt, Emma. Het is goed dat ik een tijdje wegga.

Misschien besluit ik om niet meer terug te komen.' Hij liep de schuur uit en liet haar staan.

Emma staarde hem na. Dit kon hij niet menen. Vertrouwde hij haar niet meer? Ze moest toegeven: waarschijnlijk had het er serieus uitgezien. Maar hij wist toch dat Jules daar juist op uit was? Nu ging Jules weg, naar ze hoopte voorgoed. Als het maar niet te laat was...

Ze keek naar het kalfje. 'In jou zit geen kwaad. Toch mag je niet blijven leven.' De zachtmoedige blik in de bruine ogen deed de tranen alweer in haar ogen springen.

Ze ging naar buiten, waar de wind haar tranen droogde. Het rode wagentje van Jules stond er nog. Was hij bezig van iedereen uit de buurt afscheid te nemen?

Toen zag ze haar vader aankomen. Iets in de manier waarop hij liep verontrustte haar. Hij liep met grote, vastberaden stappen en onder zijn arm droeg hij zijn jachtgeweer. Ze holde naar hem toe. 'Wat ga je doen, pa?'

'Ik ga een rat doodschieten. Er zit een rat in de keuken.'

'Een rat?' herhaalde ze verbaasd. Ze hadden nooit last van ongedierte. Maar haar vader zag er zo vastbesloten uit. Misschien had Sary hem geroepen. Even bleef Emma aarzelend staan, dan liep ze haar vader toch achterna.

Gilles keek door het keukenraam naar binnen en Emma keek mee. Haar moeder stond in een innige omhelzing met Jules. Emma haalde diep en beverig adem, ze wist even niet wat te doen.

Haar vader wist dat kennelijk wel. Voor ze hem kon tegenhouden, ontgrendelde hij het geweer en schoot hij dwars door het raam. Even dacht Emma dat de twee in de keuken alleen maar hevig waren geschrokken, maar toen zag ze Jules langzaam naar beneden glijden, waar hij op de plavuizenvloer bleef liggen.

Sary sloeg haar hand voor haar mond, toen riep ze: 'Je hebt hem doodgeschoten.'

'Jammer genoeg zal dat niet gelukt zijn met die enkele

korrels hagel,' mompelde Gilles. Hij liep naar binnen met Emma achter zich aan. Hij keek op zijn slachtoffer neer. Jules staarde terug, maar maakte geen aanstalten om op te staan. Gilles duwde met zijn voet tegen hem aan.

'Laat dat!' schreeuwde Sary. 'Hij kwam enkel afscheid nemen. We moeten een dokter waarschuwen.'

'Ga je gang. Ik heb je gewaarschuwd, vrouw. Ik accepteer dit stiekeme gedoe niet. Hij maakt alles hier kapot.'

'Ik geloof dat wij eerder een dokter voor pa moeten waarschuwen,' zei Emma met een blik op haar vaders hoogrode gezicht.

'Geen denken aan,' zei deze afwerend.

Emma belde hun huisarts. Hij luisterde even, hoorde de paniek in haar stem. 'Met een jachtgeweer, zeg je? Dat kan ook aankomen. Er zijn al diverse personen omgekomen bij een jachtongeluk. Hoe is het slachtoffer eraan toe?'

'Ik weet het niet. Ik geloof dat hij niet kan opstaan.'

'Goed, ik kom eraan.'

Straks zou hij vragen wat er precies gebeurd was. Wat moest ze dan zeggen? Misschien voelde hij zich verplicht om de politie te waarschuwen...

Sary was naast Jules geknield. 'Kun je niet opstaan? Heb je pijn?'

'Een lichte handoplegging van jouw kant zou mogelijk al helpen,' zei Gilles cynisch.

'Ga jij hier nu maar weg. Je hebt al genoeg schade aangericht,' zei Sary. Emma keek van de een naar de ander. Er was iets mis tussen haar ouders.

Jules probeerde nu overeind te gaan zitten.

'Kijk eens aan, hij leeft,' liet Gilles zich weer horen.

Emma pakte haar vader bij de arm. 'Kom nou maar mee. Maak het niet nog erger.' Ze loodste hem mee de kamer in en ging tegenover hem zitten. 'Wat is er toch met je, pa? Je bent jezelf niet.'

'Ik ben niet gek geworden door die storing in mijn hoofd, als je dat soms mocht denken. Sary heeft iets met die kerel. Het is niet de eerste keer dat ze mij bedriegt. Dat heb ik jou toch verteld?'

'Min of meer. Ik dacht dat jullie dat hadden uitgepraat.'

'Als je dat uitpraten noemt. Sary is gek van die vent. Ik weet dat ik bij hem vergeleken maar een sukkel ben. Maar ik wil niet bedrogen worden.'

Hij stond nu met zijn rug naar haar toe, de handen tot vuisten gebald. 'Ik wilde op zijn hart richten. Echt, ik wilde hem doodschieten. Wat bewijst dat? Dat ik van je moeder houd.'

Hij zweeg en Emma ging naast hem staan. Gelukkig heeft Jules nu het plan weg te gaan, dacht ze. Tenminste, als haar vader er niet voor had gezorgd dat hij voor langere tijd moest revalideren.

Waar zou Jules dan heen moeten? En dan bestond er ook nog zoiets als morele plicht.

Ze ging de kamer uit toen de Audi van de huisarts aan de andere kant het erf af reed.

'Ik kom je straks wel vertellen wat de uitslag van de dokter is,' zei ze. Ze kon zich niet voorstellen dat Jules zwaargewond was. Aan de andere kant, een vos of een ree werd vaak ook door één schot hagel geveld.

De arts was er nog steeds, hij had alleen zijn auto verplaatst. Dit om ruimte te maken voor de ambulance?

'Wel, wel, hoe kan een mens worden neergeschoten in de keuken onder het koffiedrinken,' mompelde Jules, die nog steeds op de grond lag. Op de tafel stonden inderdaad enkele halfvolle koffiekopjes. 'Het is hier bepaald onveilig,' mompelde hij.

De arts begon nu met zijn onderzoek en stelde allerlei vragen. Uit het onderzoek bleek dat Jules wel kon gaan zitten, maar staan lukte niet. 'In de rug wordt duidelijk iets geblokkeerd. Maar vertel me nu eens: hoe kwam je in het schootsveld van een jager terecht? Het is nog niet eens het seizoen en je zat ook niet echt in jachtgebied.'

'Gilles opende zijn eigen jachtseizoen en -gebied,' antwoordde Jules. 'Dokter, bel nu maar een ambulance. Tenzij u de hagel er hier uit haalt.'

De arts fronste zijn wenkbrauwen. Hij was niet gewend dat patiënten hun eigen regelingen troffen. Maar hij pakte zijn telefoon en tikte een nummer in.

'Is het ernstig, dokter?' vroeg Sary nu.

'Het zou weleens kunnen zijn dat uw man er ernstiger aan toe is,' antwoordde de arts. 'Als de ambulance weg is, wil ik met hem praten.'

Na een halfuur reed de ziekenwagen het erf op, en even later werd Jules erin geschoven. Jules was nog niet verder gekomen dan een zittende houding. Af en toe vertrok zijn gezicht van de pijn.

'Kun je nog steeds niet opstaan?' vroeg de dokter enkele keren.

'Nee, dan zou ik het zeker doen, denkt u ook niet?'

Toen de ziekenwagen op het punt stond te vertrekken, vroeg de arts waar hij Gilles kon vinden.

'Hij is in de schuur,' zei Emma. Ze had hem zien zitten bij de kalfjes op een baal stro. Dat beeld bracht alweer de tranen in haar ogen. Haar vader met zijn liefde voor het boerenbedrijf. Voor zijn vrouw en dochter, die zijn dochter niet was. Het leek of alles hem uit handen werd geslagen. Zijn gezondheid, zijn energie, zijn vrouw, ja, ook zijn vrouw.

Emma liep met de dokter mee en na enige aarzeling volgde Sary ook. Moeder en dochter zeiden niets tegen elkaar. De arts bleef bij de afgesloten ruimte staan. 'Zo, Gilles, hoe is het met jou?'

'Met mij is het goed,' was het kalme antwoord.

'Dat kan je bezoeker je niet nazeggen.'

'O nee? Jammer dat hij niet dood is.'

'Gilles,' schrok Sary. 'Wat mankeert jou toch?'

'Dat kan ik beter aan jou vragen. Jij laat je door die kerel zoenen. Moet ik dat maar over mijn kant laten gaan? Hij is een rat, en ratten schiet je dood.'

'Straks kom je nog in de gevangenis. Jules kwam enkel afscheid nemen. Hij is gewoon een beetje ondeugend.'

'Lieve help.' Gilles hief in een machteloos gebaar zijn handen. 'Waar zijn we in beland? In een kinderbewaarplaats?' Hij spuugde het woord bijna uit.

'Gilles, was het zo dat je even niet wist wat je deed?' De dokter vroeg het ernstig.

Gilles keek hem aan. 'Ach, je wilt mij in het ziekenhuis hebben. Nee, ik ben niet plotseling mijn geestelijke vermogens kwijt. Ik heb ook geen last meer van mijn TIA of dergelijke onzin. Ik wist wat ik deed en ik zou het zo weer doen.' Hij stond op, sloot het hekje zorgvuldig en liep de deur uit.

'Hij is alleen woedend,' concludeerde de dokter. 'En dat is natuurlijk ook niet goed voor hem.'

Op het pad draaide Gilles zich om. 'Ga hem vooral opzoeken,' schreeuwde hij.

De dokter schudde het hoofd. 'Dat zou ik maar niet doen. Als Jules dit aangeeft, wordt het politiewerk. Er moet met die vent worden gepraat. Er doet een gerucht de ronde dat hij een vrouw heeft aangerand.'

'Hij is een vervelende kerel,' zei Emma nu heftig. 'Ik heb ook al ruzie met Joost omdat hij mij beetpakte.'

'Ja maar...' Sary ontweek de boze blik van haar dochter.

'Ik zou het toch normaler vinden als jij je zorgen maakte om je echtgenoot,' merkte Emma vinnig op.

'Je begrijpt het niet. Het is hier soms zo saai. Ik ben nog niet zo oud.'

'En om wat spanning in je leven te krijgen bedrieg je pa. Gaan jullie scheiden?'

'Natuurlijk niet, Emma. Toe, neem het niet zo serieus.'

Emma liep wat sneller bij haar moeder vandaan. Op dit moment kon ze haar wel iets doen. Maar zijzelf was ook niet vrij van schuld. Zij moest zich ook gaan verdedigen tegenover Joost. Het verschil was: zij wilde dit niet, terwijl haar moeder de aandacht van Jules leuk leek te vinden.

Nijdig veegde ze een paar tranen weg voor ze haar vader inhaalde. Hij had nog steeds een hoogrode kleur.

'Waar ga je heen?' vroeg ze, terwijl ze haar arm door de zijne stak.

'Nergens heen. Ik heb het gevoel dat ik geen thuis meer heb.'

'Trek het je niet aan, pa. Het is maar een bevlieging. En Jules maakt gebruik van iedere gelegenheid die zich voordoet.'

'Zou hij Leentje ook zoenen?' vroeg Gilles zich plotseling af. Hij schoot hardop in de lach.

Emma glimlachte ook. Leentje met haar bloemetjesjurk, stijve schoenen en een knotje in haar nek. Het was te gek voor woorden.

'Denk je dat je moeder hem gaat opzoeken?' vroeg Gilles dan.

'Nee. Maar er moet iemand gaan. We moeten toch weten hoe dit gaat aflopen. Dus ik ga wel en vraag of Joost meegaat.'

Even was het stil.

'Misschien moet je tegen mama eindelijk zeggen dat het je nog steeds dwarszit,' waagde Emma.

'Ze zal dat wel vermoeden. Denk je dat ze wil scheiden?'

'Nee. Als hij weg is, gaat het weer over.'

'Het was ook wel stom,' zei Gilles, nu duidelijk gekalmeerd. 'Maar zo'n klein hageltje, wat kan dat nu aanrichten?'

'Het hangt er maar van af waar het terechtkomt,' herhaalde Emma de woorden van de dokter. 'Je hebt ook weleens een vos of een aangeschoten fazant gezien.'

'Je weet dat ik dat nu niet meer doe.'

Emma wist dat haar vader, nadat hij de smekende blik in de ogen van een aangeschoten ree had gezien, met de jacht was gestopt.

'Ik ben je daar erg dankbaar voor,' zei ze, een kneepje in zijn hand gevend. 'Ik ga nu naar binnen om me wat op te knappen.'

'Je gaat je toch niet mooi maken voor die vent?'

'Nee, pa. Even iets anders aantrekken. Moet ik hem de groeten van je doen?'

Ze was blij dat haar vader even grinnikte. 'Je weet wel beter.'

Met een lachje liep ze weg.

Heel bewust kleedde ze zich simpel in een jeans met een geruite blouse. Een leren gilet erover en klaar. Daar kon hij toch moeilijk iets verleidelijks aan ontdekken.

Ze liep nog even bij haar ouders binnen, waar die twee samen zaten te zwijgen. 'Ik ga even naar hem toe. Een beleefdheidsbezoekje, meer niet,' zei ze.

'Ik hoop zo dat het goed komt,' antwoordde haar moeder. 'Zo niet, dan kunnen we hier een hoop gedoe mee krijgen. Met de politie en zo. Je mag zomaar geen mensen neerschieten, ook al heb je nog zo'n hekel aan iemand.'

'Er gebeuren nu eenmaal dingen die niet mogen,' antwoordde Gilles.

'Het kan jou niets schelen als hij voor zijn leven verminkt is,' concludeerde Sary.

'Nee, eigenlijk niet,' antwoordde Gilles eerlijk. 'Maar zo'n vaart zal het niet lopen.'

Emma liet hen alleen. Dit kon toch wel een groot probleem tussen haar ouders worden. Maar ze wilde daar nu niet aan denken. Het was eerst zaak in haar eigen huwelijk geen problemen te krijgen. Ze besloot Joost niet te vertellen dat ze naar het ziekenhuis ging. Dat was vroeg genoeg als ze iets meer wist.

Ze reed naar het ziekenhuis, maar toen ze de auto had geparkeerd, bleef ze even zitten. Wat moest ze nu zeggen? Zou Jules niet allerlei verkeerde conclusies trekken als ze opeens aan zijn bed verscheen? Nou ja, er was niets aan te doen. Ze moest gewoon weten hoe de zaken ervoor stonden. Dat gaf ook een betere indruk als de politie inderdaad werd ingeschakeld.

Ze aarzelde even bij de kiosk. Moest ze iets meenemen? Een tijdschrift met schaars geklede vrouwen, dacht ze cynisch. Uiteindelijk kocht ze een tijdschrift over de natuur voor hem. Ze vroeg bij de receptie naar het kamernummer en liep dan snel de gangen door.

Even later tikte ze op de deur. Ze hoorde een vaag gemompel en opende de deur. Jules zat rechtop in bed, wat haar enigszins geruststelde.

'Zo, kom je eens kijken wat je vader heeft aangericht?'

'Ik kom vragen hoe het met je is,' antwoordde Emma.

'Wat aardig. Het lijkt mee te vallen, maar ik moet wel nog een operatie ondergaan. Als het goed gaat, komt het na revalidatie weer goed. Zo niet, dan kom ik bij jullie in huis om mij te laten verzorgen.'

Emma sloot even de ogen voor dat schrikbeeld. 'Zo'n vaart zal het niet lopen,' zei ze niettemin. 'Het was geen opzet.'

'Ha.' Dat ene woordje zei genoeg. 'Blijf daar niet staan. Kom wat dichterbij,' noodde hij.

Emma deed een paar stappen en trok een stoel bij. Ze zorgde er wel voor dat hij net niet bij haar kon. Ze gooide het tijdschrift op zijn bed. 'Het is vervelend dat dit gebeurde,' begon ze. 'Maar ik kan pa ook begrijpen. Je zoende zijn vrouw. Zoiets doe je toch niet.'

'Jullie zijn zo preuts. Trouwens, Sary was er niet afkerig van. We zijn zo'n beetje familie.'

Emma keek hem verbaasd aan. Was hij toch niet helemaal helder?

'Ik had dit al veel eerder willen zeggen,' ging hij verder.

Emma bewoog onrustig. Ze had het idee dat ze dit niet wilde horen.

'Emma, liefje. Je hebt een vader.'

Ze bleef hem zwijgend aanstaren en liet deze woorden even bezinken. 'Ik ken mijn vader,' zei ze dan.

'Dat denk ik niet. Want jouw vader is mijn broer. Jij bent mijn nichtje.'

'Klets geen onzin,' viel ze ruw uit. Ze wilde er niet aan, ook al klonk Jules nu voor het eerst sinds ze hem had ontmoet oprecht.

'Lieve Emma, ik had dit al veel eerder willen vertellen. Dat was namelijk de reden dat ik hier kwam...'

Emma schoof met stoel en al achteruit. 'Ik geloof niet dat ik dit wil weten.'

'Ik weet zeker van wel. En als dit wat mij is aangedaan verkeerd afloopt, moet je het weten. Het was mijn broer die met jouw moeder een romantische avond had. Het gevolg hiervan ben jij. Via-via wist hij dat jij geboren werd en hij heeft altijd geloofd dat je zijn kind was, maar hij heeft nooit contact met je gezocht, omdat hij je leven niet wilde verstoren. Hij is nu echter ernstig ziek. Zelf heeft hij geen kinderen. Toen Sary zo snel met Gilles trouwde en na zeven maanden een baby kreeg, was de berekening niet moeilijk. Mijn broer en ik zijn in feite alle twee zwervers. Ik wilde dit voor hem doen. Nu hij zo ziek is, wilde ik jou vragen hem op te zoeken.'

'Ik denk er niet aan. Hoe kan hij dit zo zeker weten?'

'Je bent enig kind en je hebt totaal niets van Gilles. Er zijn veel dingen die erop wijzen.'

'Ik geloof je gewoon niet,' zei Emma, die was opgestaan.

'Praat er met je moeder over. Zij geloofde me wel.'

'Heb je haar met dit hele verhaal lastiggevallen?'

'Zij vermoedde het volgens mij al en ja, ik heb haar vermoedens bevestigd. Het is allemaal al zo lang geleden. Maar ik ben niet het uitschot waar jullie me voor aanzien.'

Emma keek even zwijgend op haar handen. Hij kon gelijk hebben. Het was zelfs zeer waarschijnlijk dat hij de waarheid sprak. 'Waarom ben je dit gaan uitzoeken en waarom nu?' vroeg ze.

'Omdat ik nog iets voor mijn broer wilde doen,' antwoordde hij prompt. 'Ik geef je zijn adres. Je zult begrijpen dat ik zelf op dit moment niet naar hem toe kan gaan.' Hij grabbelde in de la naast zijn bed en pakte daar een agenda uit. Hij gaf haar een briefje met een adres in Gent.

'Hij woont dus nog thuis. Wie zorgt er daar voor hem?' vroeg ze.

'Er zijn altijd vrouwen die dat willen doen,' glimlachte hij. 'Ik hoop dat je er iets mee doet. En zeg tegen je vader dat ik de politie nog niet heb ingelicht. Maar we zijn hier nog niet klaar mee.'

'Weet hij hiervan?' vroeg ze, met het papiertje wapperend.

'Hij weet meer dan hij laat blijken.'

Na een korte groet verdween ze. Ze kon zijn zelfvoldane gezicht niet meer zien. Nu kwam het ene na het andere schandaaltje boven water. Jules zou dit alles niet zomaar verzinnen. Het moest wel waar zijn.

Wat moest ze nu thuis zeggen? Helemaal niets was mogelijk voorlopig het beste. Ze ging weleens een enkele keer naar Gent om te winkelen. Dat hoefde geen argwaan te wekken. Later kon ze het vertellen. Want ze wilde niet dat haar leven vanaf nu van leugens aan elkaar hing. En Joost? Hij moest het wel weten. Hij vertrok al over veertien dagen naar Ethiopië. Voor die tijd moesten ze toch zeker een en ander hebben uitgepraat.

9

Toen ze thuis uit de auto stapte, zag ze Joost bij de schuur. Hij keek naar haar en wachtte. 'Waar was je?' vroeg hij afgemeten.

Doordat Emma zich gespannen voelde, reageerde ze al even kortaf. 'Moet ik overal rekenschap van afleggen?'

'In dit geval wel,' reageerde hij rustig.

'Als je het al weet, hoef ik je niets te zeggen.' Toen zuchtte ze. 'Wat is er met ons aan de hand, Joost?'

'Dat kan ik beter aan jou vragen. Je was bij hem, is het niet?'

'Dat moest immers wel,' zuchtte ze. 'Mijn vader heeft hem flink geraakt. Hoe moet dit aflopen? Hij wordt geopereerd.'

Joost floot tussen zijn tanden. 'Heeft hij blijvend letsel?'

'Dat is nog niet duidelijk. Hij moet waarschijnlijk wel revalideren.'

'Nu, laten we hopen dat het goed afloopt. Een rechtszaak kan je vader er volgens mij nu niet bij hebben.'

'Hij is mijn oom,' flapte Emma er dan ineens uit. Ze durfde Joost niet aan te kijken, maar tuurde voor zich uit. De velden naast de schuur vertoonden al vele tinten groen.

'Ik had al eerder het idee dat er meer achter zat,' zei Joost peinzend. 'En nu?'

'Hij heeft gevraagd of ik mijn biologische vader wil opzoeken. Die woont in Gent.'

'Zo. Het lijkt wel een televisieprogramma. Maar je hoeft dit niet te doen, Emma. Hij heeft al die jaren nooit naar je omgekeken. Wat zou je moeder hiervan vinden?'

'Geen idee. Zij leeft met geheimen. Het schijnt dat Jules het haar al heeft verteld, misschien dat ze hem daarom ook de hele tijd zo vreemd behandelde.'

'Zij wist dit al?'

'Ja. Maar hij... mijn... de broer van Jules dus, die is ernstig ziek. Ik wil hem een keer zien.' Dat was echt zo, besefte ze.

'Dan moet je gaan.' Joost draaide zich om en liep weg.

Ze begreep dat hij het er niet mee eens was. Ze ging nu eerst op zoek naar haar moeder. Ze kon niet ontkennen dat ze toch nieuwsgierig was geworden. Joost zou het wel begrijpen. Hoopte ze.

Haar moeder was bezig met een quilt die zou dienen als bedsprei. Het was een kleurig geheel. Sary had gezegd dat het rustgevend werk was. Een beetje rust had ze wel nodig, dacht Emma.

Sary keek op. 'En?'

'Tja, er is nog steeds een kans dat hij blijvende schade heeft opgelopen.'

'Zo. En wat vindt Gilles daarvan? Als hij niet zo'n heethoofd was... Ik weet wel zeker dat Jules het er niet bij laat zitten.'

'Ik ga straks naar Gent,' zei Emma plompverloren.

'Wat moet je daar?'

'Mijn biologische vader woont daar, mam. Ik hoorde dat hij ernstig ziek is. Ik wil hem graag een keer ontmoeten.'

'Moet je nu echt het hele verleden boven water halen?'

'Ik heb er recht op hem te leren kennen. Hoelang weet je dit al, mam?'

'Wat?' Sary had al haar aandacht nodig om een draad door de naald te rijgen.

'Dat Jules zijn broer is,' zei Emma geduldig. Ze had het gevoel dat ze haar moeder niet moest opjagen.

'Hij heeft het mij al snel verteld. Ik vond het niet meer van belang. Het is zo lang geleden. Eén misstap, en jij was het gevolg. Ik kan er nog steeds geen spijt van hebben. Zonder hem had ik nooit een kind gehad. Dan was jij er niet geweest. Ik geef toe, Jules is een beetje opdringerig. Maar jullie blazen deze zaak zo op. En nu? Wat moeten wij als hij blijvend letsel heeft opgelopen?'

Emma reageerde niet direct.

'Het is zijn goed recht om naar de politie te gaan,' zei Sary nog, met haar tanden een draad doorbijtend.

'Wat moet ik in vredesnaam tegen zijn broer zeggen?' zuchtte Emma. 'Hoe zal hij reageren?'

'Ik zou het niet weten. Maar je bent niet verplicht om te gaan.'

Emma antwoordde niet. Ze ging zich klaarmaken, met de gedachte dat het maar achter de rug kon zijn. Ze liep nog even het land op, waar haar vader en Joost in gelijkmatig tempo bezig waren met schoffelen.

'Ik ga dan maar,' zei ze aarzelend.

'Je moet doen wat je zegt, dan lieg je niet,' zei haar vader, een oude uitdrukking gebruikend.

Joost wist wat ze ging doen, maar hij reageerde verder niet. Gilles vroeg er ook niet naar.

Ze liep later naar de dreef waar hun auto stond. Ze wilde instappen toen Joost ineens achter haar stond.

'Wanneer wordt die vent geopereerd?' vroeg hij.

'Heel binnenkort. We moeten van de week maar een keer bellen hoe het gaat.'

'Ik vind dat je vader moet worden ingelicht. Hij vraagt er niet naar, maar ik weet zeker dat dit hem bezighoudt.'

Ze knikte. 'Ik zal hem erover vertellen.'

'Goed.' Hij aarzelde, zei dan: 'Emma, ik snap heus wel dat je nieuwsgierig naar hem bent…'

Ze knikte. 'Ik heb verder niets met hem. Gilles is mijn vader.'

'Zeg hem dat een keer. Dat zou hij op prijs stellen.' Hij legde een arm om haar schouders.

Ze gaf een kneepje in zijn hand en stapte in. Het was wel goed tussen haar en Joost. Er was alleen de laatste tijd te veel onrust.

Ze hoopte dat alles nu werd opgehelderd en dat er een eind kwam aan alle geheimen.

Het kostte haar ruim een uur om in het centrum van Gent te komen. Ze parkeerde de auto in een garage buiten de stad. Een deel van het mooie stadje was autovrij. Ze had een adres, maar ze slenterde eerst wat door de oude straatjes, waarvan sommige zo smal waren dat de huizen elkaar bijna raakten. Gent verborg veel verrassingen in de vorm van stille hoekjes en smalle huizen, waar nauwelijks ruimte leek te zijn voor meer dan één persoon.

Na enige tijd kwam ze toch in een leuke buurt, bij moderne winkels, waarboven appartementen. Boven een van de winkels woonde degene voor wie ze hier was. Hij wist niet dat ze eraan kwam, tenzij zijn broer had gebeld. Maar als haar vader zo ernstig ziek was, zou hij vast niet alleen zijn.

'Kom op, je bent hier nu,' spoorde ze zichzelf aan. Ze liep het trappenhuis in en las de naambordjes bij de brievenbussen. C. van den Ouden. C., waar zou dat voor staan? Cornelis? Cees? Vast niet.

Gek dat ze niet eens de naam van haar vader wist. Ze haalde diep adem en duwde haar hand als het ware naar de bel. Ze zocht gewoon smoesjes om het bezoek uit te kunnen stellen. Ze drukte op de bel, schrok toen deze even bleef hangen. Gelukkig schoot hij binnen enkele seconden weer los, maar het maakte toch dat ze het knopje niet meer durfde aan te raken.

Toen klonk ineens een stem. 'Wie maakt zich daar beneden zo druk?'

'Ik ben het,' fluisterde Emma. Op hetzelfde moment realiseerde ze zich dat de man hier niets mee opschoot.

'Wie bent u?' klonk het dan ook. 'Als u met een collecte komt hoeft u geen moeite te doen, tenzij u voor mij wilt collecteren.'

'Ik ben Emma Rijnsburg. Ik ben hier min of meer in opdracht van uw broer Jules.'

Het bleef even stil aan de andere kant. Zou de man begrijpen wie ze was?

'Kom maar boven,' klonk het. De toegangsdeur tot het portaal klikte open. Emma nam de trappen en probeerde intussen na te denken wat ze moest zeggen. Maar het leek alsof ze niet kon denken.

De deur van het betreffende appartement stond op een kier. Emma waagde het echter niet om zomaar binnen te lopen. Ze drukte opnieuw op een bel en trok haar vinger zo snel terug alsof ze bang was zich te branden.

'Kom maar binnen en sluit de deur achter je,' klonk het tamelijk autoritair. De klank in zijn stem deed haar toch aan Jules denken. Ze liep naar binnen en de deur viel met een klik achter haar in het slot. Onwillekeurig huiverde ze. Als kind van het wijde Zeeuws-Vlaamse land voelde ze zich snel opgesloten.

Aan het eind van de gang stond een deur opnieuw op een kier en ze liep naar binnen. De man zat bij het raam in een rolstoel. Hij was mager en zag er ouder uit dan zijn broer. Maar hij was wel verzorgd, in een spijkerbroek en een donkerblauw shirt met lange mouwen. Hij droeg een bril, maar achter het glas glinsterden dezelfde helblauwe ogen als bij zijn broer.

Hij keek haar zwijgend aan, wees op een stoel tegenover hem.

'U kent mij niet,' begon ze.

'Klopt. Maar je bent hier ongetwijfeld om daar verandering in te brengen.'

Ze glimlachte even. 'Uw broer heeft korte tijd bij ons op de boerderij gewerkt.'

'O ja? Er is weinig werk wat hij niet heeft gedaan.'

'Hij vertelde me dat u mijn vader bent,' flapte ze er

dan onverhoeds uit.

Zijn blik verzachtte iets. 'Dus je weet het. Ik hoop dat Jules je ouders niet de stuipen op het lijf heeft gejaagd. Ik wil niets van jullie. Ik ben aan het eind van mijn leven. Jij bent het enige wat ik nalaat. Ik wilde je heel graag zien, maar ik had niet durven hopen dat je inderdaad zou komen. We hadden maar één leuke avond, je moeder en ik. Maar ik begreep dat er gevolgen waren toen ik via-via vernam dat ze zo snel ging trouwen.'

'Je hebt verder nooit naar haar omgekeken,' zei Emma. 'En ook niet naar mij.'

'Dat was niet nodig. Jullie kregen een comfortabel leven met die man van haar en ik zwierf over de aardbol. Ik had niet voor jullie kunnen zorgen. Hoe is het nu met haar?'

Emma was gaan zitten. Ze voelde zich bij deze man beter op haar gemak dan bij zijn broer. 'Er is bij ons het een en ander gebeurd,' zei ze.

'Ongetwijfeld. Er gebeurt altijd van alles waar Jules opduikt. Hij wist van mijn avontuurtje met je moeder.'

Emma zei niets. Deze uitdrukking klonk zo denigrerend. Een avontuurtje waarvan zijzelf het resultaat was. Sinds ze haar moeder enkele malen met Jules had gezien, vroeg ze zich af of haar moeder nog steeds te porren was voor een avontuurtje. Op dit moment kon ze weinig respect voor haar moeder opbrengen.

'Ik heet Carl,' zei de man nu. 'Of wist je dat al?'

Ze schudde haar hoofd.

'Je lijkt niet echt op je moeder. Wat verwachtte je eigenlijk toen je hierheen kwam?'

'Een doodzieke man in bed,' zei ze.

Hij glimlachte vaag. 'Ik probeer zo lang mogelijk op te blijven. Ik kan nog lang genoeg liggen. Ik heb veel gerookt en gedronken. Ik ben nu bijna aan het eind van mijn reis. Ik verwacht mijn broer binnenkort thuis. Hij zou de laatste weken voor me zorgen.'

Emma beet op haar lip. Dat kon nog een probleem worden. Stel dat de broers straks beiden hulp nodig hadden? Wie moest die taak dan op zich nemen?

'Wil je een kop thee voor me zetten?' vroeg Carl plotseling. 'Je vindt de spullen in de keuken.'

Ze stond op, rommelde wat in de keuken en bleef wachten tot het water kookte. Hoe moest dit nu? Moest ze deze man verontrusten met haar verhaal over zijn broer? Deze man was haar vader en dat gaf haar het idee dat ze hem niet zomaar aan zijn lot kon overlaten. Overigens zei het feit dat deze man haar vader was haar niets. Niets meer dan een avontuurtje met haar moeder.

Toen ze weer in de kamer kwam, had hij zijn ogen gesloten.

'Ben je moe?' vroeg ze.

'Een beetje. Maar vertel me nu over Jules.'

Ze gaf hem de kop thee en ging weer tegenover hem zitten. 'Jules flirtte met mijn moeder. Niet één keer, maar steeds. Toen schoot mijn vader hem neer.'

Carl floot tussen zijn tanden. 'Jules had meermalen met de politie te maken. Dat hij alles tot nu toe heeft overleefd, mag een wonder heten. En nu?'

'Hij wacht op een operatie. Het is niet zeker dat alles helemaal in orde komt.'

Carl zei niets, maar de frons boven zijn ogen wees op bezorgdheid. 'Ik ben ervan overtuigd dat het zijn eigen schuld is,' zei hij niettemin. Hij zweeg even en ze voelde zijn blik op zich rusten. 'Je bent mooi,' zei hij serieus.

Ze kreeg een kleur. 'Wat moet er met jou gebeuren als je broer niet voor je kan zorgen?' begon ze over iets anders.

'We zullen zien. Het is niet jouw verantwoordelijkheid. Ik ben geen type dat overal onrust zaait.'

Ze stond nu op en gaf hem een hand, die hij stevig

drukte. Hij maakte geen aanstalten haar een zoen te geven en daarin was hij in elk geval anders dan zijn broer.

'Ik kom nog weleens,' zei ze.

'O ja? Dat zou ik op prijs stellen. Maar voel je niet verplicht.'

Eenmaal buiten keek ze omhoog en zwaaide naar de vage figuur achter het raam. Terwijl ze op weg ging naar de garage, voelde ze een vaag schuldgevoel tegenover haar vader. Gilles was toch degene die ze altijd als haar echte vader zou zien. Dit bezoekje voelde als een soort ontrouw aan hem.

En wat was ze ermee opgeschoten? Deze man was een vreemde voor haar. Maar nu kon ze niet meer van hem loskomen. Als Jules voor langere tijd in het ziekenhuis moest blijven en zijn broer ging steeds verder achteruit, wie moest er dan voor hem zorgen?

Dat moest haar moeder dan maar doen. Tenslotte stond zij het dichtst bij hem.

Wat later stapte ze in haar auto en ze liet Gent al snel achter zich. Ze kon zich op dit moment niet verdiepen in de schoonheid van het oude stadje. Door alles wat maar in haar hoofd bleef rondmalen, was ze thuis eer ze het wist.

Peinzend bleef ze even in de auto zitten. Wat moest ze nu vertellen? Ze zouden ernaar vragen. Moeder en Joost zeer zeker. Nu, Sary moest deze zaak maar op haar manier oplossen.

Ze stapte uit en keek om zich heen. Het was een heldere dag, maar er stond veel wind. Spierwitte wolkenmassa's schoven voortdurend voor de zon. Ze dacht aan het liedje van Jacques Brel. *Mijn platte land, mijn Vlaanderland*. Ja. Ook zij hield van dit land. Hoe hield een man als Carl het uit, vierhoog in de stad, terwijl hij overal had rondgezworven? Mogelijk was hij in het laatst van zijn leven gaan verlangen om weer hier te zijn, waar hij vandaan kwam.

Ze stapte uit. Ze kon niet weten wat er in deze man omging. Maar stel dat zij in bepaalde opzichten op hem leek? Dan kon hij het in de stad niet lang uithouden.

Ze sloot de auto af en liep naar haar eigen huis. Inmiddels was het zo goed als bewoonbaar, en daar was ze erg blij mee. Ze had nu geen zin in vragen van haar moeder. Hopelijk was Joost wel thuis. Ze wilde een en ander met hem bespreken. Alleen kwam ze er niet uit. En haar ouders wilde ze er op dit moment niet mee lastigvallen.

Joost was in hun gezamenlijk kantoor, waar ook de computer stond en haar studiemateriaal een deel van de ruimte in beslag nam. Hij keek even op, maar ging door met zijn werk. Wat was er zo belangrijk?

'Waar ben je mee bezig?' vroeg ze.

'Ik zoek de gegevens op van de reis naar Ethiopië.'

'Hebben die mensen daar echt Nederlanders nodig?'

Hij keek haar aan. Had dit laatste denigrerend geklonken?

'Voor een bepaald project hebben ze hulp en advies gevraagd,' zei hij. 'Het gebied is tamelijk afgelegen. Voor de studenten is het ook leerzaam om te zien hoe mensen in dergelijke toch vaak primitieve omstandigheden het hoofd boven water houden. Er gaat ook een dierenarts mee. Er zijn vaak problemen met het vee, zoals ontstekingen aan de poten, waardoor ze moeilijk lopen, of infecties bij de ogen. Vaak is er maar een eenvoudig middel nodig om de dieren op te laten knappen.'

'Je bent al aardig op de hoogte,' zei ze.

'Ik vertrek volgende week al.'

Dat was ook zo. Zij had zich er niet echt mee beziggehouden.

'Hoe was het in Gent?' vroeg hij.

'Ach...' Ze aarzelde. Moest ze hem hiermee nu lastigvallen? Hij was zo met de reis bezig.

'Carl heet hij,' begon ze dan toch maar. 'Hij lijkt in geen enkel opzicht op zijn broer. Hij is volgens mij erg ziek. Ik zag een tankje zuurstof staan, waarschijnlijk voor de nacht. Maar hij wilde niet over zijn ziekte praten. Hij denkt dat zijn broer voor hem zal zorgen als hij het niet meer redt. Ik heb wel gezegd dat het niet zeker is dat het helemaal goed komt met Jules. Maar het was net alsof dat niet tot hem doordrong. Of hij duwde het weg.'

'Ga je nog een keer naar hem terug?' vroeg Joost nu.

'Dat denk ik niet. Ik heb niets met hem. Ik wil het ook niet tegenover mijn vader, Gilles,' meende ze te moeten verduidelijken.

'Maar wat als er niemand is die voor hem zorgt? En Jules, waar moet die straks heen? Ook als het goed komt, zal hij toch moeten revalideren.'

'Dat is toch niet allemaal onze verantwoordelijkheid,' zuchtte ze. 'Ik wilde echt dat ik hen nooit had gezien, te beginnen met Jules natuurlijk.'

'Zo'n kort avontuurtje geeft heel wat problemen. Sary heeft nooit kunnen denken dat dit dergelijke gevolgen zou hebben. Ze kreeg een prachtige dochter en daarmee was de zaak uit de wereld. Dacht ze... Maar het is niet goed als een mens geheimen heeft. Weet je vader al hoe het zit?'

'Nee, ik ben vanuit de auto rechtstreeks naar jou gekomen, dus ik heb mijn vader nog niet kunnen vertellen wat ik te weten ben gekomen. Ik vraag me wel af of ik degene moet zijn die het hem moet vertellen.'

'Dat zou ik wel doen. Niet de ene leugen op de andere stapelen.'

Geheimen, dacht ze. En er was nog iets wat Joost nog niet wist. Maar dat zou ze hem pas vertellen als hij terugkwam van zijn reis. Het was alles nog zo onzeker. 'Dat jij nu net weg moet,' zuchtte ze.

'Misschien is het wel goed. Even wat afstand nemen. Als ik terugkom, heb ik vast veel te vertellen.'

Zitten wij om gespreksstof verlegen, vroeg ze zich af.

'Het is wel jammer dat er geen vrouwen meegaan,' zei Joost nu. 'Maar het is natuurlijk geen vakantiereisje. Het is ook goed dat jij hier bent. Jarno is dan weer terug, maar hij heeft wel leiding nodig.'

'Eigenlijk kun je niet weg,' meende ze. 'Mijn vader is nog niet de oude.'

'Ik kan niet in mijn eentje een datum gaan verzetten,' zei Joost geprikkeld.

Ze reageerde niet. Ja, het was wel goed dat ze elkaar een tijdje niet zagen. Het laatste jaar draaide om Jules en alles wat met hem te maken had. Haar trouwdag lag alweer enkele maanden achter hen. Ze had vanaf het begin gelijk gehad. Jules had alleen onrust gebracht. En nu kwam de toestand van zijn broer er nog bij. Twee mannen die beiden verzorging nodig hadden. Mannen met wie ze een band hadden. Van wie ze niet zomaar konden zeggen: ze zoeken het maar uit.

Ze verliet de kamer zonder nog iets tegen Joost te zeggen. Hij hoefde niets op te lossen, hij ging weg. Het was maar gemakkelijk. Uiteindelijk was het Sary die deze zaak moest oplossen, bedacht ze dan. Door haar was alles begonnen.

Emma ging op zoek naar haar moeder. Ze vond haar in de schuur, bezig het kalfje te laten drinken. Eigenlijk was dit haar eigen werk.

'Ik wist niet hoe laat je terug zou zijn,' zei Sary zonder haar aan te kijken.

'Dacht je dat ik met mijn ernstig zieke vader ging eten?'

'Heb je hem opgezocht?'

'Wie?' vroeg Emma expres vaag. Ze wilde dat haar

moeder zijn naam zei. Ze wilde dat ze toegaf welke puinhoop er door haar toedoen was ontstaan. O, niet dat feit van vroeger. Een korte verliefdheid, of misschien niet eens, maar wel met gevolgen. Nee, het ging erom dat Sary zich door Jules had laten zoenen terwijl Gilles in de buurt was. En dat ze hem steeds de hand boven het hoofd hield, terwijl hij Jelina bijna had verkracht. En dat alles omdat ze het leven met Gilles saai vond.

Emma keek naar haar moeder, die half gebogen zat over het kalfje. Het mooie rode haar verborg haar gezicht. Waarom had zij, Emma, zich nooit afgevraagd of haar moeder wel een prettig leven had? Stel dat ze inderdaad met Gilles was getrouwd terwijl ze eigenlijk verliefd was op een ander?

'Wil je er niet over praten?' vroeg Sary. 'Ik wil alleen weten hoe het met hem is. Hij had dood kunnen zijn.'

'Daar ben ik me van bewust. Maar dat is hij niet. We kunnen bellen wanneer hij bezoek mag hebben.' Emma keek haar moeder afwachtend aan.

'Eigenlijk voel ik dat min of meer als mijn plicht. Maar ik denk dat Gilles het niet goedvindt. Hij is nog steeds woedend. Hem neerschieten! Hij lijkt wel gek. Daar zijn we nog niet mee klaar, vrees ik.'

'Ga maar naar hem toe als het kan. Misschien kun je hem zover krijgen dat hij een aangifte intrekt. Ik zal het pa wel uitleggen. Die heeft ook zo het een en ander te verwerken.'

'Hij wist al bijna vanaf het begin dat jij zijn dochter niet bent. Maar hij heeft jarenlang niets gezegd. Vind je dat eerlijk?'

'Jullie huwelijk lijkt wel van leugens aan elkaar te hangen,' zei Emma bitter. 'Maar de enige die nog iets kan oplossen, ben jij.'

Sary stond op. 'Goed, ik ga zo gauw het kan naar hem toe, als jij kans ziet het je vader uit te leggen. Hoe was het met hem? In Gent?'

'De persoon die mijn vader schijnt te zijn, is ernstig ziek. Hij kan nauwelijks voor zichzelf zorgen. En Jules kan dat nu ook niet doen.' Emma draaide zich om en liep de schuur uit.

Sary keek haar dochter na. Hoe was het toch mogelijk dat ze in korte tijd zo in de problemen waren gekomen? Was het haar schuld? Nee. Als Jules was gebleven waar hij was, als hij niet was gaan wroeten in het verleden van zijn broer, als hij niet op zoek was gegaan naar het kind van haar en zijn broer, was er niets aan de hand geweest. Ze moest met hem praten. Hij zou toch wel voor rede vatbaar zijn?

Sary vroeg het zich af. Als zij door toedoen van iemand anders in het ziekenhuis was beland, zou ze dan nog redelijk zijn?

Emma vond Gilles op het land. Hij liep langs de akker, waar de tarwe al hoog stond. Ze dacht niet dat er al veel te doen was. Toch vond ze het niet prettig dat Joost twee weken wegging.

Toen ze het Gilles vroeg, zei hij echter: 'Hij heeft wel recht op enkele weken vakantie. Hij werkt hard. Echt vakantie is het trouwens niet, heb ik begrepen. Maar jij? Ik hoorde dat jij bij onze vriend in het ziekenhuis langs bent geweest. Waarom?'

'Ik voelde me toch schuldig, denk ik,' zei Emma schouderophalend.

Gilles bromde wat. 'Hm, het zal wel. Hoe ging het met hem?'

'Het is afwachten hoe de operatie verloopt. Er is nog steeds kans dat hij de politie erbij haalt.'

'Als ik smartengeld moet betalen, kan ik dit alles hier wel verkopen.' Hij maakte een armzwaai en Emma begreep dat hij erover had nagedacht terwijl hij hier rond-

liep. Zowel Carl als Jules stonden er niet best voor, ze zouden een flink geldbedrag heel goed kunnen gebruiken.
'Ik heb mama voorgesteld Jules op te zoeken en met hem te praten. Zij kan misschien wel iets bereiken.'
Gilles stond stil en draaide zich om. Zijn ogen bleven op de boerderij rusten. Hij zou het niet overleven als hij dit zou kwijtraken, dacht Emma.
'Die vent is verliefd op je moeder. Wat denk je dat hij gaat eisen?' vroeg Gilles zich hardop af.
'Nee, pa, zo moet je niet denken. Trouwens, mama...'
'Haar hoofd is op hol. Heb je dat nog niet gemerkt? Ik ben alleen maar een ouwe kerel die nu ook nog een afwijking heeft.'
'Mama laat jou niet in de steek. En ik ook niet. Je bent mijn vader, een betere is er niet. Kom, pa, laat je niet op je kop zitten. Dat heb je nooit gedaan.'
Gilles begon nu terug te lopen en Emma stak haar arm door de zijne.
'Je bent altijd een lieve meid geweest,' zei Gilles.
Bij Emma schoten de tranen in de ogen. Haar vader liet zelden iets van emoties blijken. Dit teken van genegenheid ontroerde haar.
'Jules zei ook nog iets,' zei Emma toen, denkend aan de opdracht die ze van Joost had gekregen. 'Hij zei dat hij de broer is van mijn biologische vader. Ik heb hem opgezocht. Hij was er slecht aan toe, papa. Ik kon hem helemaal niet zien als mijn vader. Het was gewoon een vreemde voor me, een man als alle andere.'
Gilles legde zijn arm om me heen. 'Ik ben jouw vader,' zei hij, 'en dat zal ik altijd blijven.'
Emma knikte. Zo was het, en zo zou het blijven. Daar hadden bloedbanden niets mee te maken.

'Heb jij je vader gezegd dat ik morgen naar het ziekenhuis ga en misschien naar Gent?' vroeg Sary later. Ze was bezig de vaatwasser in te ruimen en duwde af en toe ongeduldig een lok rood haar achter haar oor. Ze leek inderdaad nog jong bij Gilles vergeleken, dacht Emma.

Ineens was ze weer hevig verontrust. 'Was je van plan te scheiden?' vroeg ze plompverloren.

'Hoe kom je daar nou bij?' Sary zette de machine aan en draaide zich naar haar om.

'Nou, jullie geven niet bepaald de indruk van een gelukkig paar.'

'Ach, alles is begonnen met Jules. Je vader maakt zich druk om niets. Ik voel me verplicht om naar het ziekenhuis te gaan. En zijn broer... tja, dat hij daar in zijn eentje ligt te verkommeren, misschien moeten we daar iets aan doen. Hem naar een verzorgingshuis laten gaan of zo.'

Emma zei niets.

De volgende morgen zag ze Sary vertrekken. Ze had zich echt opgedoft, zoals Gilles zou zeggen. Een spijkerbroek met een leren jasje, haar haren los, waardoor ze er erg jong uitzag. Daarbij droeg ze schoenen met naaldhakken, wat ze anders nooit deed. 'Wat moet ik in de stal met naaldhakken?' zei ze soms. Ze had een paar aangeschaft voor Emma's bruiloft. Ja, haar bruiloft. Emma slaakte een zucht. Het leek of het feest door alles wat er gebeurd was naar de achtergrond was gedrongen. Ook die dag had Jules bedorven door zijn vechtpartij met Jarno. Ze was blij dat de laatste vandaag weer terugkwam. Het zou voor hem niet gemakkelijk zijn. Hij had tenslotte zijn vrouw en kinderen achter moeten laten.

Emma ging koffiezetten. Joost kwam ook bij hen zitten en vertelde over het project in Ethiopië.

'Als ik jonger was, zou ik met je mee willen,' zei Gilles.

Het was niet alleen de leeftijd, dacht Emma. Gilles

voelde zich niet meer zeker van zichzelf.

'Heb je Sary gezien?' vroeg Gilles nu aan zijn schoonzoon.

Deze knikte. 'Ik zag haar vertrekken. Ze zag er mooi uit. Je hebt een bijzondere vrouw, Gilles. Evenals ik trouwens.' Hij knipoogde naar Emma.

'Ik weet niet of ik daar nu zo blij om moet zijn,' bromde Gilles. 'Helemaal opgedirkt gaat ze naar het ziekenhuis. En dan gaat ze misschien ook naar die vent met wie ze...'

Emma schudde haar hoofd. 'Zeg maar niks, papa. En trouwens, ze zag er heel gewoon uit. Behalve die hoge hakken dan.'

'Ik zou me niet druk maken,' zei Joost dan gemoedelijk. 'Jules ligt in bed en kan zich nauwelijks bewegen. En zijn broer is er al niet veel beter aan toe, heb ik begrepen. Trouwens, Sary gaat alleen naar het ziekenhuis omdat ze Jules wil bepraten dat hij de politie erbuiten houdt. Wees blij dat ze dat doen wil. En die ander? Een beetje nostalgie, denk je ook niet? Die man is bijna dood, ze wil hem gewoon nog een keer zien.'

Als je het zo hoorde leek het alles niets om je druk om te maken, dacht Emma. Ze betwijfelde echter of haar moeder iets zou bereiken bij Jules.

10

Nadat Sary haar auto had geparkeerd liep ze door de draaideur het ziekenhuis in. Stel, je gaat redelijk gezond naar binnen en je komt er in een rolstoel weer uit, dacht ze met een lichte huivering. Maar zo zou het met Jules niet aflopen. Ze rechtte haar rug en liep de gang in. Haar hakken klikten luid en ze had het gevoel dat iedereen naar haar keek. Mensen in de wachtkamers keken op toen ze langsliep. Een broeder keek haar opvallend na.

Voor de betreffende deur bleef ze een moment staan. Hoe zou hij reageren? Nu, daar zou ze snel genoeg achter zijn.

Hij strekte beide armen naar haar uit. 'Mijn liefste Sary. Hier heb ik al die tijd naar verlangd.'

Ze week wat achteruit. 'Hoe is het met je?' vroeg ze vormelijk.

'Moet je dat vragen? Ik ben neergeschoten door je echtgenoot. Het zal lang duren voor ik weer de oude ben. Dat is voor mij erg, maar zeker ook voor mijn broer Carl. De vader van Emma, weet je wel. Ik had beloofd voor hem te zorgen. Dat kan nu allemaal niet. Hij heeft verzorging nodig en ik waarschijnlijk ook. Wie zal dat betalen? En dan heb ik het nog niet eens over smartengeld.'

'Dat weet je niet,' sputterde ze zwakjes tegen.

'Er komt in elk geval een proces-verbaal. Gelukkig maar dat jullie rijk zijn.'

Sary keek hem aan en zag ineens de blik in zijn ogen die Emma ook al een paar keer was opgevallen. Er blonk iets gemeens in die blik.

'Je eigen aandeel in deze toestand vergeet je gemakshalve,' zei Sary, terwijl ze ging zitten op een stoel zo ver mogelijk van het bed.

'Niemand heeft het recht een ander neer te schieten,' reageerde hij kortaf. 'Maar we kunnen een deal sluiten,

Sary. Dan zal ik een deel van mijn eis laten vallen. Dan laat ik de politie erbuiten.'

Ze zei niets. Ze had al zo'n vaag vermoeden dat ze het met deze deal niet eens zou zijn.

'Wij gaan een keer samen uit en blijven die nacht bij elkaar.' Hij keek haar aan alsof hij had voorgesteld samen een kop koffie te drinken.

'Geef het maar toe, je hebt het met Gilles wel gehad. De rest van wat ik vroeg zal ik je kwijtschelden als je voor mij en mijn broer zorgt, zolang het nodig is.'

Sary stond op. 'Ik denk er niet aan. Ik ga nog liever failliet. Al moet ik gaan bedelen, Jules, nooit zal ik op iets dergelijks ingaan.'

'Misschien denkt Emma er anders over,' zei hij peinzend, alsof hij deze mogelijkheid voor het eerst overwoog.

Sary liep naar de deur.

'Ga je nu al weg? Je kunt mij toch wel een poosje gezelschap houden? Heb je enig idee hoe het is om hier te liggen en geen kant uit te kunnen?'

'Je hebt het aan jezelf te wijten,' zei ze hard. 'Je hebt Gilles net zo lang getergd tot er iets knapte bij hem.'

'Jij denkt dat de politie begrip zal hebben voor het feit dat je echtgenoot een schot hagel in mijn lijf schoot.'

'Als ze alles zouden weten misschien wel. Maar jij zult hun de waarheid zeker niet vertellen.'

Ze liep het vertrek uit zonder te groeten, zwikte in de gang op haar schoenen, en foeterde in stilte dat ze dergelijk ongemakkelijk schoeisel had aangetrokken. Ze was nu vastbesloten om naar Gent te gaan. Maar ze kende de straatjes daar en die waren zeker niet geschikt voor naaldhakken. Ze ging er niet van uit dat ze haar auto voor de deur kon parkeren. Haar gedachten hielden zich weer met Jules bezig. Veel meer dan met zijn broer, die nota bene de vader was van haar dochter.

Tegen haar zin dacht ze aan het voorstel dat Jules haar had gedaan. Ze zou daar natuurlijk nooit op ingaan. Maar stel nu eens dat het de enige mogelijkheid was dat Jules de politie erbuiten zou laten? Als ze moest kiezen tussen failliet gaan en dat andere?

Nee, daar zou ze nooit op ingaan. Ze begreep zelfs niet dat ze er maar even over nadacht.

Boos op zichzelf stapte ze stevig door. Ze deed of ze van alles tekortkwam bij Gilles. Goed, hij was geen romanticus, maar hij had alles voor haar over. Ze moest eens leren waarderen wat ze had.

Ze reed naar Gent en parkeerde haar auto aan de rand van de stad. Ze moest even zoeken naar het adres en op haar naaldhakken liep het inderdaad zo onhandig als ze al verwacht had, maar uiteindelijk had ze de straat dan gevonden. Daar ga ik, dacht ze toen de deur openging. De ene dag de dochter, de andere dag de moeder.

Op haar bellen werd de deur geopend door een meisje in een verpleegstersuniform.

'Is Carl thuis?' vroeg Sary.

'Meneer is altijd thuis, maar hij komt niet zo gemakkelijk naar de deur,' was het antwoord. 'Hij gebruikt zuurstof,' voegde ze er nog aan toe. 'Waar komt u voor?'

'Ik ken meneer van vroeger,' zei Sary. Stel dat hij haar niet wilde ontvangen?

De zuster liep voor haar uit en opende de deur naar de kamer. Het eerste wat Sary zag waren Carls helblauwe ogen, dezelfde als Jules. Dezelfde als jaren geleden. Hij zat in een ligstoel, maar kwam overeind, van welke inspanning hij onmiddellijk begon te hijgen.

'Blijf maar liggen,' zei ze.

Tot haar verbazing zag ze tranen in zijn ogen. 'Wat geweldig dat ik jou nog een keer zie. Je bent niets veranderd. En zeg nou niet: jij ook niet, want ik weet wel beter...'

Ze zei niets. Behalve zijn blauwe ogen was er niets meer wat haar nog herinnerde aan de jongen van meer dan twintig jaar geleden.

'Hoe is het met je?' vroeg ze zacht.

'Het loopt op zijn eind, liefje. Maar wat goed dat ik jou nog zie. En onze dochter was hier ook. Wat is ze mooi! Ik verbeeld me dat ze op mij lijkt. Ik begreep van Emma dat Gilles op de hoogte is.'

'Ik heb het lang voor hem geheimgehouden, maar hij wist het eigenlijk al vanaf het begin.'

'Geheimen. Het zit in jullie aard. Niet verstandig. Gerlinde, wil jij even koffie voor ons zetten?'

Het meisje aarzelde, ze had haar jas al aan, stond kennelijk op het punt te vertrekken.

'Laat mij dat maar doen,' zei Sary.

Zo dronken ze even later samen koffie. Sary bedacht hoe vreemd de situatie eigenlijk was. Hier zat ze met haar vriendje van één avond, van jaren geleden. Toch had ze geen spijt van haar besluit hem op te zoeken. Carl was duidelijk blij met haar bezoek. Ze praatten niet over die avond van jaren geleden. Waarom daarop terugkomen? Ze had ook daar geen spijt van. Zonder Carl had ze waarschijnlijk nooit kinderen gekregen.

'Emma is getrouwd,' zei ze na verloop van tijd.

'Zo jong al. Is ze gelukkig?'

'Dat heb ik haar nooit rechtstreeks gevraagd. Joost is een goede man en hij houdt van haar. Alles was in orde, tot je broer kwam.'

Daarop vertelde ze hem van alle onrust die Jules had veroorzaakt.

'Ja, dat herken ik van hem,' knikte Carl. 'Altijd achter de vrouwen aan.'

'Maar we zitten nu wel in de problemen.'

Sary vertelde wat er zoal gebeurd was. Ook de aanval

op Jelina verzweeg ze niet. 'Het werd Gilles allemaal te veel en hij gebruikte zijn jachtgeweer,' zuchtte ze. 'En nu wil Jules ons een proces aandoen. Smartengeld vragen.'

'Zover zal het niet komen. Ik zal met hem praten.'

Dat was aardig aangeboden, maar wat kon Carl doen, vanuit zijn bed? Terwijl hij nauwelijks de energie had om enkele meters te lopen?

Ze bleef geruime tijd en het werd geen moment vervelend. Carl had dezelfde charme als zijn broer, maar hij was niet opdringerig. Hij vroeg steeds weer naar Emma en ze beantwoordde zo goed mogelijk zijn vragen.

'Zij is het enige wat er straks van mij over is,' zei hij.

Sary sprak hem niet tegen. Iedereen zou kunnen zien dat deze man aan het eind van zijn leven was.

Bij het afscheid zoenden ze elkaar op beide wangen en hij hield haar even vast. 'Pas goed op onze dochter. En laat je niet onder druk zetten door Jules.'

Met een weemoedig gevoel liep ze later door Gent, haar gedachten nog steeds bij Carl. Hij was toch veel te jong om nu al dood te gaan. Ze dacht eraan dat ze een glimlach op zijn gezicht had gezien toen ze hem over Emma vertelde.

Ze wist niet dat haar ogen nog steeds een dromerige blik hadden toen ze thuiskwam. Maar Gilles zag het wel. En voor de zoveelste keer dacht hij: ik ben te oud voor Sary.

Hij wachtte tot ze zelf haar verhaal zou vertellen, maar toen dat niet kwam, zei hij: 'Emma heeft gebeld met het ziekenhuis. Hij heeft de operatie goed doorstaan. Maar of hij weer goed zal kunnen lopen, is nu nog niet duidelijk.'

'Dat is wel te hopen. Anders doet hij ons zeker een proces aan.'

'Ik laat me door hem niet alles afnemen. Daar is hij trouwens al mee begonnen.'

'Toe nou, Gilles, er is je niets afgenomen.'

'O nee? En jou dan?'

'Je bent mij niet kwijt. Denk je dat ik alles hier zou opgeven voor hem? Je zou wat meer vertrouwen moeten hebben. Heb ik je ooit bedrogen?'

Hij keek haar strak aan en ze wendde zich af. Natuurlijk had ze dat wel. Ze bedoelde het goed, maar haar woordkeuze was beroerd. 'Zo veel geheimen,' zei hij hoofdschuddend. 'Wie zegt mij dat je daar niet gewoon mee doorgegaan bent?'

Sary keek naar haar lange, forse echtgenoot die er nu uitzag alsof hij een klap had gekregen. 'Als je mij niet meer vertrouwt, wat blijft er dan over?' zuchtte ze. 'Er is heus niets gebeurd vandaag. Met Jules niet, en in Gent ook niet. Echt niet.'

Gilles zweeg alleen maar.

Ze keken beiden op toen een auto het erf op reed.

'Dat is Jarno.'

Gilles ging hem tegemoet. Heel zijn houding drukte nu opluchting uit. Was hij blij hun gesprek te kunnen beëindigen? Of opgelucht dat Jarno er was? Blijkbaar had hij de man uit Polen nu toch volledig geaccepteerd.

De beide mannen praatten even. Ze liepen nu gezamenlijk naar de schuur en Sary ging het huis in. Terug naar haar dagelijkse werkzaamheden.

11

Emma hield zich bezig met het strijken van een stapel overhemden.

'Denk je dat ze daar opletten of mijn overhemd is gestreken?' vroeg Joost.

'Ik zou het niet weten. Maar je voelt je prettiger als je er netjes uitziet.'

'Ik hoop dat als ik terugkom, er duidelijkheid is over alles,' zei Joost. 'Vooral dat Jules is verdwenen en zijn broer wordt verzorgd.'

Emma knikte alleen. Ze twijfelde nog steeds of ze Joost in vertrouwen zou nemen over haar eigen geheim. Maar niets was nog zeker. En Joost bleef maar twee weken weg.

'Zul je mij mailen en sms'jes sturen?' vroeg hij.

'Natuurlijk doe ik dat. Als ik je daar kan bereiken.'

'Ik zit wel midden in de woestijn. Maar tegenwoordig is een mens toch altijd bereikbaar.'

Ze ging zwijgend verder met haar werk, legde de keurig opgevouwen overhemden in de koffer. Morgen vertrok hij al. Ze merkte dat haar tranen hoog zaten. Er was de laatste tijd te veel gebeurd. Ze wilde niet alleen blijven, zeker nu niet. Maar ze wilde hem niet verontrusten door hem te vertellen wat haar op dit moment het meest bezighield.

Hij stond op, kwam achter haar staan en legde zijn armen om haar heen. 'Waarom heb ik het gevoel dat je iets dwarszit?'

'Je gaat weg,' herinnerde ze hem.

'Twee weken zijn zo om. En daarna gaan wij echt aandacht aan elkaar besteden. Afgesproken?'

Ze knikte alleen. Hij had gelijk, ze hadden elkaar verwaarloosd. En alles was de schuld van de vreemdeling die op een dag hun erf op kwam rijden. Degene die geen vreemdeling bleek te zijn, maar haar oom.

'Vind jij dat ik Jules nog eens moet opzoeken?' vroeg ze. Hij was ontslagen uit het ziekenhuis. Hij moest nog wel oefeningen doen om volledig te revalideren, maar hij zou zeker niets blijvends overhouden aan Gilles' onbezonnen actie.

'Laat Sary dat maar doen,' zei hij kortaf. Toen vervolgde hij iets vriendelijker: 'Emma, ik weet dat het misschien veel gevraagd is, maar wil je mijn moeder eens opzoeken in die paar weken?'

Emma fronste haar wenkbrauwen, maar zei eerst niets. Het was natuurlijk niet onredelijk wat hij vroeg. 'Als zij dat prettig vindt,' aarzelde ze.

'Je kent haar. Ze zal het niet ronduit zeggen, maar ze zal het zeker prettig vinden.'

Emma was daar niet zeker van, maar ze knikte alleen.

De laatste avond voor Joost zou vertrekken was hij er wel gerust op. Hij had Jarno zo veel mogelijk ingelicht over het werk. Deze liep naast zijn schoenen van trots vanwege de verantwoordelijkheid die hij kreeg te dragen. Al was Gilles natuurlijk de baas, Jarno groeide in deze taak en zowel Gilles als Joost had vertrouwen in hem.

Toen Emma Jarno een paar dagen ervoor was tegengekomen op het erf, had ze hem naar zijn vrouw gevraagd. Hij schuifelde wat en keek haar niet aan toen hij zei: 'Ze wil hier liever niet meer komen.'

'Jules is weg,' zei Emma, die begreep waar het om ging.

'Hij is vaker weggeweest. Maar hij komt altijd weer terug,' had Jarno geantwoord.

Ze bracht Joost naar het vliegveld in Brussel. Ze moest haar uiterste best doen om haar tranen te bedwingen. Ze wilde niet dat Joost het zag. Hij was opgewekt, begroette zijn collega's, het was te zien dat ze er zin in hadden. Bij het afscheid fluisterde hij: 'Jammer dat je niet mee kunt. Misschien kunnen we dat een andere keer regelen. Veertien dagen zijn zo om...'

Had hij toch iets van haar emoties gemerkt? Ze glimlachte. 'Het is om voor we het weten.'

Terwijl ze Joost nazwaaide, zag ze tot haar verbazing Jules aankomen. Hij liep weliswaar met twee krukken, maar hij liep. Verontrust keek ze naar het groepje mannen dat door de douane werd gecontroleerd. Joost had hem natuurlijk ook gezien. Jules was niet over het hoofd te zien. Wat deed die vent hier? Kwamen ze dan nooit van hem af?

Natuurlijk kwam hij haar richting uit. Ze kon hem niet ontlopen.

'Ik hoop dat jij een reis naar Timboektoe hebt geboekt,' zei ze fel.

'Dat zou ik vast doen als ik niet gehandicapt was...'

'Overdrijf niet zo,' zei ze fel. 'En waarom loop je mij achterna?' Ze begon van hem weg te lopen, maar zijn krukken verhinderden hem niet haar bij te houden.

'Het leek me niet verstandig jullie op te zoeken op de boerderij. Stel dat je vader nog met een geladen geweer rondloopt. Ik moest je spreken. Ik wilde dat je weet dat hij dood is.'

'Dood?' herhaalde ze.

'Ik bedoel je vader.'

'Mijn vader?' herhaalde ze.

'Je lijkt wel een papegaai. Carl wordt maandag in Gent gecremeerd. Er zal niemand bij zijn. Ik dacht dat jij misschien de behoefte voelde...'

'Ik zal erover denken,' zei ze, nu snel weglopend. Gelukkig bleef hij achter. Even vroeg ze zich af hoe hij hier was gekomen. Kon hij wel rijden met zijn tijdelijke handicap? Nu, het was niet haar zaak.

Toen ze terugreed liet de gedachte aan Carl haar niet los. Ze had geen band met hem. Maar toch, zonder hem was zij er niet geweest. Een vreemde gedachte. Ze was blij dat ze hem een keer had opgezocht. Vooral omdat het hemzelf kennelijk goed had gedaan.

Eenmaal thuis drong Sary erop aan dat ze met hen zou mee-eten. Ze besloot deze eerste avond alleen hun gezelschap maar te waarderen. Ze aarzelde hoe ze de ontmoeting met Jules ter sprake moest brengen. Haar vader zou zich weer kwaad maken.

Ze wachtte tot ze na het eten koffiedronken, zei dan: 'Toen ik Joost wegbracht, was Jules daar ook.'

'Wat kwam hij daar uitspoken? Vertrok hij ook?' vroeg Gilles hoopvol. 'Of kwam hij jou opvangen omdat je nu alleen bent, denkend dat de kust vrij is?'

'Hij kwam zeggen dat zijn broer is overleden.'

'Ach,' klonk het van Sary.

'Dat is een probleem minder,' zei Gilles.

'Moet dat nu?' zuchtte Sary. 'De man is dood. Zet de hele toestand een keer van je af.'

'De andere broer zorgt er wel voor dat dat niet mogelijk is,' zei Gilles, met een nijdig gebaar zijn koffie wegschuivend zodat deze over de rand gutste.

'Hij vroeg of ik naar de crematie kwam,' zei Emma, die besloot haar vader even te negeren.

'Ik denk dat we moeten gaan,' zei Sary. 'Hij heeft geen verdere familie. Het is zo triest, een uitvaart zonder dat er iemand bij is die verdriet heeft.'

'Jij hebt dus verdriet,' zei Gilles. 'Nou, misschien kan ik ook meegaan. En Jarno en Leentje.'

'Houd op!' viel Sary uit. 'Kun je dan geen enkel respect opbrengen?'

'Nee,' antwoordde Gilles afgemeten, waarna hij opstond en de kamer verliet.

‘Het gaat niet goed met jullie,’ zei Emma toen hij weg was.

‘Sinds je vader die TIA heeft gehad, is hij veranderd. Onverdraagzaam geworden.’

‘Vind jij dan dat hij geen enkele reden heeft om zich boos te maken?’ vroeg Emma.

‘Hij maakt zich kwaad om niks,’ antwoordde Sary.

Dat is niet echt een antwoord, dacht Emma.

‘Ga jij naar de crematie?’ informeerde Sary dan.

Emma haalde haar schouders op. ‘Ten eerste wil ik pa niet kwetsen. Ten tweede kom ik dan opnieuw Jules tegen. Ik heb het zo gehad met die man. En degene om wie het gaat, merkt het niet meer.’

‘Dat kun je niet zeker weten,’ zei Sary serieus. ‘Ik ga in elk geval wel. Zonder hem had ik jou niet gehad.’

‘Zeg dat maar niet op die manier tegen pa.’

‘Er is zo langzamerhand wel veel wat ik moet verzwijgen.’

‘Dat krijg je als je je leven met leugens begint.’ Emma verliet de kamer en ging naar haar eigen domein. Zoiets moest zijzelf nodig zeggen. Zij liet Joost gaan zonder hem te vertellen... Ze bewoog haar hoofd alsof ze de gedachte van zich af wilde schudden.

Eenmaal binnen ging ze achter de computer zitten. Ze had nu alle tijd om te studeren. Niet dat Joost zo veel van haar tijd in beslag nam. Hij was tegenwoordig zelden in huis. Zonder hem voelde het huis leeg aan. Een leeg omhulsel, zonder inhoud. Ze huiverde onwillekeurig.

Het studeren lukte niet erg. Haar gedachten waren bij Carl, die ze slechts één keer had ontmoet. Er was geen gelegenheid geweest om hem echt te leren kennen. Niet dat ze daar echt behoefte aan had gehad, maar dat het nu niet meer kon, voelde wel heel definitief.

Ze stond op en opende het raam. Het was een koele dag, maar een beetje frisse lucht kon geen kwaad. Mooi weer om te vliegen, had ze iemand horen zeggen. Vanmiddag zouden ze al op de plaats van bestemming zijn.

Bij de schuur zag ze Jarno in gesprek met haar vader. Gilles rustig en bedachtzaam, Jarno met drukke gebaren. Ze glimlachte in zichzelf. Die twee konden nu gelukkig goed met elkaar overweg.

Toen zag ze Leentje komen aanlopen. Lieve help, had ze haar nu al verwacht? Ze kwam regelrecht naar haar huis en Emma opende de deur. Leentje leunde hijgend tegen de deurpost.

Emma keek verontrust naar haar schoonmoeder. Waarom had ze zich zo gehaast?

'Er is een vliegtuig verongelukt,' hijgde Leentje.

Emma greep zich vast aan de deurpost, terwijl Leentje langs haar naar binnen liep.

'Hoe weet je dat?' bracht Emma uit, haar achternalopend.

'Ik heb naar het nieuws gekeken.'

Emma zette direct de televisie aan, ging snel alle zenders langs, maar er bleek niets van een extra nieuwsuitzending.

'Was het een vlucht naar Ethiopië?' vroeg Emma.

'Hoe moet ik dat weten?' Leentje beefde en Emma duwde haar min of meer in een stoel.

'Dat is wel belangrijk. Er zijn duizenden vliegtuigen in de lucht, op weg naar net zo veel bestemmingen.'

'Hoe kun je zo kalm blijven?' zei Leentje op verwijtende toon. 'Ik kan wel zien dat Joost niet echt belangrijk voor je is.'

Emma wilde iets zeggen maar zag er vanaf. 'Ik ga Brussel bellen,' zei ze kortaf.

'Wie ga je bellen?'

'Het vliegveld,' antwoordde Emma kortaf.

Leentje zei niets, ze wrong haar handen, haar lippen

trilden. Emma had medelijden met haar, wilde haar wel geruststellen, maar zelf was ze ook ongerust. Terwijl ze haar vraag stelde en het antwoord hoorde, voelde ze de spanning van zich af glijden. Ze legde de hoorn neer en keek Leentje aan. 'Er is een vliegtuigje neergestort in Suriname,' zei ze langzaam.

'O. Nou, dat is erg genoeg.'

'Je moet je eerst goed op de hoogte stellen voor je mij de stuipen op het lijf jaagt,' zei Emma, nu echt boos. Ze trilde nog over haar hele lichaam. 'En mij niet voor niets het vliegveld laten bellen. Deze informatie had ik ook wel op internet kunnen vinden.'

'Ik weet toch niet met welk toestel hij vliegt? En ik heb maar één zoon.'

Tegen een dergelijke logica kon Emma niet op. 'Wil je soms koffie?' vroeg ze niet al te uitnodigend.

'Als het niet te veel moeite is.'

'Als je maar niet voortdurend praat,' had Emma bijna gezegd. Maar dat was onredelijk. Leentje was haar schoonmoeder, of ze dat nu leuk vond of niet. Het was het beste haar te accepteren, meer niet – ze hoefde tenslotte haar vriendin niet te zijn.

Even later kwam Sary ook binnen. Tot Emma's opluchting begon Leentje niet over het ongeluk met het vliegtuigje. De vrouwen praatten wat met elkaar en Leentje kwam natuurlijk op de reis van Joost. 'Ik vroeg hem nog waarom hij zo'n gevaarlijke onderneming begon. Er is hier werk genoeg en Gilles is nog lang niet de oude.'

'Met Gilles gaat het uitstekend,' reageerde Sary kribbig. 'Wat Joost gaat doen is goed voor hem. Goed voor zijn ontwikkeling.'

'Je doet of hij dom is,' reageerde Leentje verontwaardigd.

'Hij kan de mensen ginds heel wat leren.'

Emma keek verbaasd naar haar moeder. Op deze manier had ze haar nooit over Joost horen praten.

'Emma is flink genoeg om het hier tijdelijk alleen te redden,' zei Sary nog.

Natuurlijk was ze dat. Maar dat betekende niet dat ze het leuk vond alleen te zijn, daar was ze nu al achter.

Toen Leentje opstond om te vertrekken, zei deze: 'Ik hoop dat je nog eens langskomt. Ik zit daar tenslotte maar alleen. Jules is er ook niet meer. Ik mis hem, hij is een gezellige man.'

Emma zei niets. Dat Leentje daar weleens anders over had gedacht, daar wilde ze haar niet aan herinneren.

'Ik zei Gilles dat ik van plan was om naar de crematie te gaan,' zei Sary toen Leentje weg was, om eraan toe te voegen: 'Dat had ik beter niet kunnen doen.'

'Dat had ik je wel kunnen voorspellen.'

'Waar maakt hij zich druk om? Carl is dood. Het is alleen maar uit respect voor hem. Carl heeft er altijd een vermoeden van gehad dat jij zijn dochter was. Maar hij heeft me nooit opgezocht. Daar kun je best respect voor hebben.'

'Je kunt het ook desinteresse noemen. Carl is dood. Maar Jules is er nog wel. En hij laat je niet met rust. Hij weet dat je een zwak voor hem hebt. Als jij papa niet nog ongeruster wilt maken, moet je niet gaan. Ik weet zeker dat jij dat ook wel weet.'

'Na pas enkele maanden ben je al aardig op de hoogte hoe het moet in een huwelijk,' reageerde Sary scherp. Ze stond op en verdween.

'Vooral hoe het niet moet,' zei Emma tegen de dichte deur.

Die avond kreeg ze een sms'je met: *Veilig geland. Pas goed op jezelf. Liefs, Joost.*

Pas goed op jezelf. Betekende dat dat hij toch iets vermoedde? Dat kon gewoon niet. Ze zat heel stil, legde haar handen tegen haar onderrug. Misschien was het allemaal loos alarm. Ze ging Joost hier in elk geval niet mee verontrusten.

Die avond werd de pijn heviger en verloor ze wat bloed. Niet veel, maar toch... Misschien werd ze gewoon ongesteld. Ze voelde zich nu toch wel erg alleen. Maar ze kon hier niet mee naar haar moeder gaan. En zeker niet naar haar schoonmoeder.

Ze besloot die avond vroeg naar bed te gaan. Het vloeien was gestopt, maar ze kon niet slapen. Ze voelde zich toch wel erg alleen. Maar had ze zich minder alleen gevoeld als ze Joost had ingelicht? Dan was er vast ook een sms'je gekomen met *Pas goed op jezelf.*

De volgende morgen besloot ze toch even bij de huisarts langs te gaan. Ze zat nog maar net in de wachtkamer toen Leentje binnenkwam. Gelukkig zaten er meer patiënten in de wachtkamer, anders had Leentje stellig gevraagd wat ze hier deed.

Ze was zelf eerst aan de beurt. Na diverse vragen en haar onderzocht te hebben, zei de dokter: 'Wel, ik kan je feliciteren. Je bent zwanger.'

'Echt waar?' vroeg ze.

'Zo'n lichte tussentijdse bloeding komt vaker voor, het is niet verontrustend.'

'Wilt u het niet tegen mijn schoonmoeder zeggen?' vroeg ze.

'Zij is dus nog niet op de hoogte? Ik denk dat ze heel blij zal zijn.'

Hij gaf haar nog enkele richtlijnen en snel stond ze weer buiten. Ze haastte zich naar de auto. Ze ging niet op Leentje wachten. Deze was op de fiets, dus als ze mee terug wilde rijden, zou ze gebruik moeten maken van de fietsendrager. Maar ze wilde nu even alleen zijn.

Het was drukkend heet op de plaats waar de groep mannen was neergestreken. Maar ze hadden goed werk verricht, dacht Joost. Deze eerste week was voorbijgevlogen. Men had met groot materiaal enkele bronnen aangeboord en het werk was dag en nacht doorgegaan. Dit had een luidruchtig feest tot gevolg gehad.

Er was een dierenarts bij de groep die de kamelen en ezels verzorgde. De meeste van de dieren waren ernstig verwaarloosd. Joost vroeg zich af of de verbetering van de dieren maar van tijdelijke aard zou zijn. Veel mensen waren van goede wil. Maar het was de gewoonste zaak van de wereld er maar op los te slaan als een dier niet verder kon.

Joost was blij dat Emma dit niet hoefde te zien. Hij dacht veel aan haar en voelde zich vandaag juist erg onrustig. Het was nu midden op de dag en ze hadden een schuilplaats gezocht tegen de hitte. Het was een vierkant stenen huis waar ze in elk geval niet in de brandende zon zaten. De dieren stonden in groepjes bij elkaar onder enkele kale struiken. Ze leken onrustig, sloegen met hun staart, schudden met hun kop.

Joost dacht weer aan Emma. Hij hoorde weinig van haar. De berichtjes waren kort en nietszeggend. Hij had een keer geprobeerd te bellen, maar de verbinding was uiterst slecht. Hij kon haar niet verstaan en ze viel af en toe weg. Ach, hij was na een week weer thuis en dan moesten ze wat tijd voor elkaar uittrekken. Hij vroeg zich af hoe het met Jules zou zijn afgelopen. Hij hoopte van harte dat hij was vertrokken en wel voorgoed.

Het was niet waarschijnlijk dat enkele korrels hagel zo veel schade zouden aanrichten. Maar als Jules werkelijk blijvend letsel had opgelopen, dan zou hij het er niet bij laten zitten, daarvan was hij zeker.

Ineens zag hij Mirko buiten lopen en hij wenkte het ventje. Het was een leuk kereltje en hij scheen een zwak voor Joost te hebben. En dat was wederzijds. Het kind scheen niet veel aandacht van zijn ouders te krijgen, want zodra Joost een hand naar hem uitstak kwam hij naar hem toe, de donkere ogen glanzend en vol verwachting. Joost zorgde ervoor dat hij altijd iets bij zich had van fruit of dropjes. Chocola was natuurlijk onmogelijk met deze hitte. Joost zou het kind graag verwennen met iets van speelgoed, maar hij had uiteraard niets bij zich. Joost wist niet waarom hij zo vertederd werd door het ventje. Hij wenkte Mirko en deze kwam onmiddellijk naar hem toe, en bleef toen aarzelend op de drempel staan.

Ineens hoorde Joost een vaag gerommel. Hij zou er geen aandacht aan hebben geschonken, maar de mannen begonnen plotseling door elkaar te praten. Ze wenkten hem om mee naar buiten te komen. Dat was niet echt aanlokkelijk met deze hitte. Misschien landde er een helikopter vlakbij.

Het gerommel werd luider, het leek geen onweer. Het leek alsof er een goederentrein op het huis af raasde. Een groot schilderij viel van de wand en lag in stukken op de grond. Opnieuw werd er buiten geschreeuwd. Enkelen van de Ethiopiërs die nog binnen waren gooiden zich plat op de grond. Mirko rukte aan zijn hand, maar Joost zag gek genoeg geen kans om op te staan. Het was of het hele huis in beweging kwam. Joost lag languit, er was niets waar hij zich aan vast kon klemmen, toen de plankenvloer zich opende. De muren kreunden, het plafond huiverde, stof daalde in een dichte wolk op hem neer. Het werd volslagen donker. Het gerommel ging over in gebulder. Een van de mannen schreeuwde: 'Een aardbeving!'

Joost probeerde overeind te komen, het enige wat hij dacht was: naar buiten! Mirko's handje was uit de zijne gegleden. Waar was het kind? Hij wankelde in de donkere ruimte terwijl de vloer onder zijn voeten als een ijsschots omhoog leek te komen, en in stukken brak. Joost wilde steun zoeken tegen de wand, maar de muur leek zich te buigen en in stukken uiteen te vallen. Hij wilde weg, naar buiten, maar hij kreeg zijn been niet in beweging. Hij liet zich weer zakken, hoorde nog het geraas, geschreeuw buiten.

Joost deed nog een schietgebedje en toen werd alles donker.

12

Emma had die avond enkele sms'jes geprobeerd, maar geen antwoord gekregen. Dat was niet vreemd, het duurde soms een dag voor ze antwoord kreeg. Ze begreep niet waarom ze zo onrustig was. Over een kleine week zou Joost weer thuis zijn. En dan moest er gepraat worden. Helemaal opnieuw beginnen.

Jules was weer naar België vertrokken, naar ze hoopte voorgoed. Hij moest eerst alles regelen in verband met het overlijden van zijn broer. Carl had hem wat geld nagelaten, Jules kon voorlopig in het appartement blijven wonen. Hij liep nog moeilijk, maar het zou helemaal goed komen. Hij had parttime werk gevonden op een kantoor. Zittend werk, dat hij kon doen terwijl hij daarnaast revalideerde. Als hij zich daar wat gedroeg, kon hij de baan misschien houden, had Gilles zuur opgemerkt.

'Wees nou maar blij dat hij er verder geen werk van heeft gemaakt,' had Sary geantwoord.

'Wat heb je moeten doen om hem zover te krijgen?' had Gilles scherp geantwoord.

Nee, tussen die twee zit het niet echt goed, dacht Emma. Gilles was erg boos geweest toen hij hoorde dat Sary toch de crematie had bezocht. Ze had er verder niets van verteld en niemand had ernaar gevraagd.

Carl heeft eenzaam geleefd en is eenzaam gestorven, dacht Emma.

Ze besloot die middag even naar Leentje te gaan. Deze had alle dagen dat Joost nu weg was geen rustig moment gehad, zoals ze zei.

Leentje zag haar aankomen en opende de deur al voor haar. 'Heb je iets gehoord?' vroeg ze gespannen.

'Nee, maar ik hoor niet iedere dag iets.'

Leentje liep voor haar uit de kamer in. 'Heb je de tv aan gehad?' vroeg ze.

Emma fronste haar wenkbrauwen. Nu begon ze hopelijk niet weer met een onheilsverhaal.

Zonder verder iets te zeggen zette Leentje de tv aan. Er was een documentaire aan de gang. 'Het zal zo wel komen,' zei Leentje. 'Het komt ieder uur. Er is een aardbeving in Ethiopië. Ik weet dat Ethiopië een groot land is. Maar ze zeiden ook dat er Nederlanders bij betrokken waren.'

Emma greep de stoel met beide handen beet alsof ze bang was erdoorheen te zakken. Dit kon niet waar zijn. Ze begon te zoeken op teletekst. Leentje had uiteraard geen computer in huis.

Leentje stond zwijgend achter haar stoel. 'Kijk, het is in de buurt van dit plaatsje. Ik weet niet of ze daar zijn. Het gaat om een uitgestrekt gebied, staat er.'

Emma zag wat er stond. En de naam van het plaatsje was haar ook bekend. Er was op dit moment geen contact met het gebied mogelijk, las ze. Het was heel goed mogelijk dat de Nederlanders inmiddels naar elders waren vertrokken. Maar het was evengoed mogelijk dat ze daar onder het puin lagen, dacht Emma.

Onverhoeds begon ze te huilen. Leentje zei niets, ze legde alleen een hand op haar schouder. Emma greep die hand even beet. Het was een gebaar van medeleven van hen beiden.

'Ik heb een telefoonnummer van de organisatie. Misschien weten ze daar iets meer,' zei Emma.

Het kostte moeite iemand aan de telefoon te krijgen, en toen het eindelijk zover was, konden ze haar niets meer vertellen dan ze zelf al op televisie had gezien.

'Ik ga erheen,' zei Emma impulsief.

'Dat moet je niet doen. Het gebied is nog niet tot rust gekomen.'

Emma keek haar aan, maar Leentje tuurde naar de tv.

Emma besloot het onderwerp te laten rusten. 'Hij moet

toch begrijpen hoe ongerust we zijn? Als hij leefde, zou hij iets laten horen,' zei ze.

'Alle verbindingen zijn daar natuurlijk verbroken,' zei Leentje stellig. 'Zullen we naar jouw ouders gaan? Het is beter om nu bij elkaar te zijn.'

Emma stond op en samen liepen ze naar de Rijnsburghoeve, waar Joost met zo veel plezier en energie had gewerkt. O, ze moest niet denken alsof hij er niet meer was. Dat was niet zo. Dat kon niet zo zijn. Hij was haar man, straks de vader van haar kindje. Als ze hem het goede nieuws nog maar kon vertellen! Als ze hem nog maar honderd dingen kon vertellen. Ze hield van hem, en dat had ze hem veel te weinig gezegd.

Voor ze bij het huis waren, werd de deur al geopend door een duidelijk verontruste Sary. 'Er is toch niets?' was haar eerste vraag. Het was ook niet gebruikelijk dat haar dochter met Leentje op bezoek kwam.

'Heb je iets van Joost gehoord?' vroeg Gilles zodra ze binnen waren.

'Was het maar zo,' antwoordde Emma, terwijl ze haastig ging zitten.

'Is het dan al zo lang geleden?' vroeg Sary, van de een naar de ander kijkend.

'Er is een aardbeving geweest in het gebied waar zij werken,' zei Leentje.

Gilles had intussen de televisie al aangezet. Het was slechts een kort bericht. Er was een aardbeving geconstateerd van 6.3 op de schaal van Richter. In het betreffende gebied waren Nederlanders aan het werk. Met hen had men nog geen contact kunnen krijgen. Men vermoedde dat de schade meeviel, het ging om een dunbevolkt gebied. Er waren tot nu toe geen beelden beschikbaar, maar men was er met groot materieel op weg naartoe. Zodra er meer bekend was, zou er een extra uitzending volgen.

Gilles drukte op de afstandsbediening en de tv werd weer een zwart vlak. Hij stond op en liep naar de telefoon. In het voorbijgaan klopte hij Emma op de schouder. 'Niet direct in paniek raken. Waarschijnlijk waren ze buiten aan het werk.'

'Waar veel huizen staan is het gevaarlijker, omdat je dan onder het puin terecht kan komen,' wist Sary te melden.

'Dat je geen bericht krijgt, is natuurlijk niet vreemd in deze situatie. Zou het zin hebben om de ambassade te bellen?' Gilles wachtte niet op antwoord, maar nam de telefoon mee naar het andere vertrek.

Hij was al snel weer terug. 'Ze weten niet meer dan wij. Maar ze houden voortdurend contact met de Ethiopische autoriteiten. Zodra ze iets meer weten worden wij gebeld.'

'Ze halen regelmatig mensen levend onder het puin vandaan,' zei Leentje nu.

'Je loopt nu wel erg op de zaken vooruit. Ze kunnen wel kilometers daarvandaan zitten.'

Leentje ging er niet op in. Heel haar houding drukte angst uit. 'Vinden jullie het goed dat ik hier blijf?' vroeg ze plotseling.

'Ja, doe dat maar,' zei Gilles goedig. 'En Emma ook. We moeten nu niet alleen zijn. Het kan wel geruime tijd duren voor we iets horen.'

Ze schrokken toen er op de deur werd geklopt. Het was Jarno. 'Er is een aardbeving,' zei hij zonder verdere aanleiding.

'We weten het, Jarno. Maar dat is dan ook het enige wat we weten.'

'Wil je koffie?' vroeg Emma, die het stilzitten niet meer uithield.

Jarno knikte alleen. Hij zag er ontdaan uit. 'Er worden altijd mensen gered,' zei hij langzaam.

En vaak ook niet, dacht Emma. Maar ze wilde zo niet denken. Zo haalde je het onheil alleen maar dichterbij. Zij en Joost... Ze hadden veel te weinig tijd voor elkaar gehad. Zo weinig dat ze hem niet eens had verteld dat ze vermoedde in verwachting te zijn. Daar zou hij vast boos om zijn. Maar hij mó
cht ook boos zijn. Als hij maar vast hier was.

Toen de voordeurbel ging, keken ze elkaar geschrokken aan. De bekenden hier kwamen in de regel achterlangs. Politie, dacht Emma. Het was Sary die opstond en na een moment met Frederike binnenkwam.

Het meisje keek wat verlegen, ging dan naar Emma en legde een arm om haar heen. 'Ik moest naar je toe,' zei ze eenvoudig.

Emma zei niets. Het was nu niet het moment om te beginnen over het feit dat Frederike niet op haar bruiloft was geweest. Het bleef haar vriendin.

'Het spijt me. Ik heb je toen in de steek gelaten,' zei het meisje nu. 'En dat op je trouwdag.'

'Je bent er nu,' zei Emma eenvoudig. En daarmee was de zaak uit de wereld.

Frederike ging zitten. 'Joost zit in Ethiopië, toch?'

Emma knikte. Hier in de omgeving wist iedereen ook alles van elkaar, leek het soms wel.

'Hebben jullie al iets gehoord?'

'Er is geen contact mogelijk,' zei Sary.

Toen even later de telefoon rinkelde, ging er een schok door hen heen. Gilles gebaarde naar Emma, die de telefoon van hem overnam. Ze knikte af en toe, gaf korte antwoorden, maar de anderen konden er niets uit opmaken. Even later zette ze het toestel terug en staarde voor zich uit. Langzaam baanden tranen zich een weg over haar gezicht.

'Emma,' drong Gilles aan. De anderen konden haar alleen maar aanstaren.

'Toen de aardbeving begon, bevonden de mannen zich in een van de primitieve huizen. Het huis is ingestort, maar ze zijn onder het puin vandaan gehaald. Over de aard van hun verwondingen is nog niets bekend. Maar ze leven en zijn naar een ziekenhuis gebracht.'

'Zijn ze allemaal gered?' vroeg Leentje nu. 'Ze waren met zeven man.'

'Ik heb begrepen van wel. Maar de verbinding is nog steeds slecht. Ze houden contact.'

'Misschien zal dit allemaal goed aflopen,' zei Jarno nu. 'Misschien wat gebroken botten, maar ach...'

Jarno had waarschijnlijk zwaardere verwondingen gezien, dacht Emma. In Polen waren vorig jaar ernstige overstromingen geweest.

'Hij zou toch kunnen bellen,' zei ze voor zich heen.

'Misschien probeert hij dat voortdurend,' zei Frederike terwijl ze opstond. 'Ik moet weer naar huis. Als ik iets voor je kan doen?'

'Fijn dat je er was. Ik voel me erg alleen,' antwoordde Emma. Ze ving Sary's blik op en begreep dat zij zich aangesproken voelde. Nou, dat was dan terecht. Ze had het idee dat haar moeder alleen maar met zichzelf bezig was.

'Ik ga ook naar huis,' zei ze. Ze had het gevoel dat ze het niet langer uithield. Ze wilde naar huis en heel hard huilen. Ze wilde zich niet langer beheersen. Ze wilde ook steeds maar weer proberen te bellen.

'Zou je dat nu wel doen? Je moet nu niet alleen zijn,' zei Leentje zacht.

'Maar ik wil graag alleen zijn,' antwoordde Emma aan het eind van haar krachten. Toch viel het medeleven van haar schoonmoeder haar mee. Joost was tenslotte haar enige zoon, hoe vaak zei ze dat niet? Het leek nu of ze meer begrip kreeg van Leentje dan van haar eigen moeder.

Even later ging ze haar huis binnen en deed een schemerlamp aan.

Stel je voor dat Joost in het donker was begraven onder het puin. Maar ze waren allemaal onder het puin vandaan gehaald. Dat was haar gezegd. Ze sloot haar ogen en bad tot God, vele minuten, misschien wel een uur lang.

Toen ze haar ogen weer opende keek ze naar hun trouwfoto, nog maar zo kortgeleden gemaakt. Er was sindsdien zo veel gebeurd. Joost zag er ontspannen en gelukkig uit op de foto. Was hij gelukkig met haar? Ze wist het niet eens zeker. Ze hadden het er nooit over. Ze droogde opnieuw haar tranen. Ze moest ophouden met huilen. Er was nog niets bekend waarom ze zou moeten huilen.

Joost had het gevoel dat hij in een donkere tunnel zat. Hij spande zich in om iets te zien en sperde zijn ogen wijd open, maar het bleef donker. Waar was hij? Wat was er gebeurd? Was hij plotseling blind geworden? Hij moest toch aan het werk? Of was het nog nacht? Droomde hij? Hij maakte een beweging om te gaan zitten, maar kon het niet. Het leek alsof hij was vastgebonden. Hij hoorde nu ook stemmen, maar verstaan kon hij ze niet.

Ethiopië. Ineens was het er weer. Het was alsof er een luikje werd geopend. Natuurlijk, er was een aardbeving geweest. De aarde die schudde en het huis dat bewoog onder zijn voeten. Was hij onder het puin begraven? Zijn handen onderzochten nu de plaats waar hij lag. Het leek toch een soort bed of brancard. Hij probeerde opnieuw zich te bewegen en merkte dat zijn linkervoet niet meewerkte. Toen hij het opnieuw probeerde werden de stemmen luider, barser ook. Het leek of hem werd verboden zich te bewegen. Ze spraken nu Engels. Opnieuw probeerde hij zich op te richten, maar twee handen hielden hem bij de schouders vast. Toen voelde hij dat er van zijn hoofd iets werd verwijderd. Droeg hij een muts? Het donker werd grijs. Hij zag schaduwen bewegen en toen werd het zo licht dat het pijn deed aan zijn ogen. Automatisch kneep hij zijn ogen dicht en hij kreeg een donkere bril opgezet.

Uiteindelijk bracht hij uit: 'Wat is er met mij? Ben ik gewond?'

Toen was er een rustige vrouwenstem die antwoordde: 'U bent gered. Eén persoon heeft het niet overleefd. Enkelen zijn gewond, zoals u. Twee zijn buitenlanders. Er was een hevige aardschok. Het had veel erger gekund. De aarde lijkt nu weer rustig.'

Een aardschok. Natuurlijk. Nu herinnerde hij zich het onheilspellende gerommel, het geschreeuw. De muren die leken om te vallen.

'Wat is er met mij?'

Het bleef even stil en hij greep om zich heen, tot hij een hand voelde die kalmerend op zijn arm klopte. 'Uw been was bekneld. Men praat over amputatie, maar twijfelt nog.'

'Dat gebeurt niet!' viel hij heftig uit. 'Zonder been stort mijn hele wereld in. Mijn werk, mijn leven als normaal mens.'

'U leeft,' klonk nu een mannenstem. 'Mocht u uw been kwijtraken, dan leeft u nog steeds. Het is slechts een klein deel van wie u bent.'

Wat een onzin kraamt die kerel uit, dacht Joost verontwaardigd. Zonder been kon hij niet functioneren. Hij zou weg moeten van de boerderij. En Emma! Lieve help, Emma!

'Het gebeurt niet,' zei hij voor de tweede keer. Hij moest haar bellen. Maar hij kon haar niet vertellen dat ze mogelijk een gehandicapte man terugkreeg. Dat kon hij haar niet aandoen.

Ze zou hem moeten verzorgen, zeker in het begin. Ze

was nog zo jong. Was hun huwelijk tegen iets dergelijks bestand?

Misschien deed hij er beter aan nooit meer terug te keren. En dan? Hier in dit land werk zoeken, met maar één been? Dan zou hij al snel op een van de markten zitten, bedelend om eten.

Toen schoot hem ineens iets te binnen. Het kind. Mirko. Hij was naar hem toe gekomen om hem te waarschuwen. Mirko had zijn hand gegrepen, hem mee willen nemen naar buiten. Joost had hem vastgehouden in plaats van hem te laten gaan. Hij had het kind in gevaar gebracht. Door hem had Mirko niet weg gekund.

'Het kind, Mirko,' bracht hij uit.

'Het kind leeft. Hij heeft naar u gevraagd. Hij heeft niemand, zijn moeder is dood. Zijn vader is er al lang niet meer.'

Joost dacht na. Mirko was nu dus helemaal alleen. 'Waar is hij?' vroeg hij.

'Hij loopt hier ergens rond,' zei de verpleger achteloos.

Joost sloot zijn ogen. Hij wilde naar huis. Maar hoe kon hij Mirko hier alleen achterlaten? Waarom was hij zo besluiteloos? Waar was zijn energie gebleven? Had hij soms ook een klap op zijn hoofd gehad? Hij moest gewoon vechten en beter worden, en dat zou in Nederland beter gaan dan in Ethiopië.

Hij moest een gesprek aanvragen met de ambassade. Hij moest informeren wat de plannen waren met Mirko. Waar zouden ze hem naartoe brengen?

En Emma! Hij kon haar niet langer in onzekerheid laten. Hij wist niet eens hoelang hij hier al lag.

Toen er een zuster langskwam vroeg hij haar zijn kussen wat hoger te leggen. Ze deed wat hij vroeg en opeens zag de wereld er heel anders uit. Hij lag in een ziekenzaal met enkele mannen uit zijn groep. Een van hen stak zijn hand omhoog.

‘Ook weer bij de levenden? Wij zijn er goed af gekomen, man. Marnix heeft het niet gehaald.’

Marnix, even oud als hijzelf. Nog vrijgezel en enorm enthousiast over dit land. Arme jongen, dit land had zijn leven genomen. En hijzelf had het overleefd. Dankbaarheid was op z’n plaats, zelfs als het misging met zijn been.

Toen de zuster weer langskwam, vroeg hij haar of hij de ambassade kon bellen. Even later kwam er een man in een witte jas, van wie hij vermoedde dat hij een van de artsen was.

‘U wilt contact met de ambassade. Is er iets niet in orde?’ vroeg hij.

‘Nee, nee, daar gaat het niet om. Ik wil naar huis. Terug naar Holland,’ verduidelijkte hij.

‘Daar gaat de ambassade niet over,’ antwoordde de man enigszins stug. ‘Wij beslissen of u naar huis kunt. Uw been is nog lang niet genezen.’

‘Ik kan in Nederland verder behandeld worden.’

De man wilde weglopen, maar Joost greep hem bij zijn mouw, wat de arts duidelijk irriteerde. Hij rukte zich los en veegde over zijn arm alsof Joost hem met vieze vingers had vastgegrepen.

‘Laat me met mijn vrouw bellen,’ zei Joost half smekend.

‘Ah, u heeft een vrouw. Kinderen?’

Joost schudde het hoofd. Hij had het gevoel dat hij door deze ontkenning weer in de achting van de man daalde. De arts wierp een blik op Joosts omzwachtelde been en schudde het hoofd. Dat verontrustte Joost nogal. Hij kon toch niet bedoelen dat hij onvruchtbaar was geworden? Zijn been... Maar hij wist niet wat er verder was beschadigd. Stel je voor dat... Nee, hij moest zich niet van alles in het hoofd halen. Niemand gaf hem hier duidelijke inlichtingen hoe het er voorstond.

'Ik wil naar huis,' zei hij nog eens, luid en duidelijk.
Maar de man was al bij de deur. Hij keek niet eens om.
'Dat willen wij allemaal,' klonk het vanuit het andere bed. 'Maar ze zullen ons zo goed mogelijk willen afleveren. Zodat ze geen kritiek krijgen op hun gezondheidszorg.'
Joost antwoordde niet. Hij piekerde over thuis en over Emma, die van niets wist en aan wie hij niets kon laten horen.
'Ik heb het telefoonnummer van de ambassade,' zei de man naast hem plotseling.
Joost keek hem aan.' Hoe kom je daaraan?'
'Van een van de zusters, gekregen in ruil voor een aantal euro's.'
'Omkoperij,' knikte Joost.
'Jij voelt je daar te goed voor. Dat meisje was er heel gelukkig mee.'
'Goed, wat kost het?'
'Voor jou niets.'
Joost kreeg dezelfde zuster zover dat ze hem een telefoon bracht en uiteindelijk kreeg hij iemand van de ambassade aan de lijn. Iemand die Nederlands sprak. 'U wilt uw vrouw spreken? Ik kan het voor u proberen. Maar er is een en ander vernield door die aardschok. De verbinding is slecht. We hebben pas sinds enkele dagen weer telefonisch contact vanuit dit gebied. Jullie hebben daar goed werk verricht. Hoewel sommigen zeggen dat de schok werd veroorzaakt door de boringen. Maar deskundigen spreken dit weer tegen.'
Blijkbaar hoorde de man Joosts ongeduldige zucht, want hij zei: 'Goed, ik ga het proberen. U hoort ervan.'
De verbinding werd nu abrupt verbroken. Joost verwachtte er in feite niets van. Zij zouden dus zelf de oorzaak kunnen zijn van de aardschok? Dat zou rampzalig zijn. Maar bij rampen werden er nu eenmaal altijd schul-

digen gezocht. Hij zou dit laten uitzoeken als hij terug was in Nederland. Dat werd dan zijn eerste taak als hij niet meer op zijn been kon staan, dacht hij wrang.

Er ging anderhalf uur voorbij voor de telefoon eindelijk rinkelde. De man naast hem gleed zijn bed uit en gaf hem de hoorn, waar Joost net niet bij kon. Hij betrapte zich erop dat hij naar de benen van de man keek. Twee benen waar niets aan te leek te mankeren.

'Mijn schouders gebroken en ik heb een hersenschudding,' zei zijn kamergenoot, die Joosts gedachten leek te raden. 'We hebben allemaal wat, man. Behalve Marnix dan. Die gaat in een kist naar huis. Dat willen wij toch ook niet, wel?'

Joost zei niets. Deze man, hij kende niet eens zijn naam, leek precies te weten wat er in hem omging. Hij nam nu de hoorn over en zei zijn naam.

'Ik heb uw vrouw aan de lijn. Houd er rekening mee dat de verbinding onverwacht verbroken kan worden.'

'Joost, ben jij dat?' klonk het van de andere kant.

Joost kon even geen woord uitbrengen.

'Joost, ben je daar?'

'Ja, ik ben hier. Emma, hoe is het met je? Ik mis je zo.'

'Ik jou ook. Ik ben zo bang geweest. Ben je ernstig gewond? Wanneer kom je naar huis?'

'Zo gauw ik mag. Ik heb het overleefd, Emma.'

'Waarom lig je in het ziekenhuis? Er zijn er al twee van jullie groep teruggekomen. Er is iets met je been, zeiden ze.'

'Dat komt wel weer goed,' antwoordde hij tamelijk achteloos. 'Als ik eerst maar thuis ben. Er is zo veel te vertellen, Emma. Ik houd van je.'

De verbinding werd met een klikje verbroken. Had ze dat laatste nu gehoord? Dat was ineens enorm belangrijk voor hem.

Emma legde de hoorn langzaam neer, alsof ze daardoor het verbreken van het contact kon uitstellen. Ze hadden elkaar veel te vertellen. Hier was ook van alles gebeurd. De spanning tussen haar ouders. De dood van Carl. Haar zwangerschap waarvan nog steeds niemand anders dan zij op de hoogte was. En Joost, hoe zou het echt met hem zijn? Hij praatte niet over zijn verwonding. Was dat een goed teken of juist niet? Hij was niet voor niets opgenomen. Misschien was zijn been gebroken. Maar als het een moeilijke breuk was kon herstel heel lang duren. Hoe zou hij zich dan houden? Als het druk was op de boerderij en er moesten extra werkkrachten worden aangetrokken en Joost kon alleen maar toekijken?

Onbewust slaakte Emma een diepe zucht. Ze verlangde naar zijn thuiskomst, maar ze zag er ook tegen op.

Joost werd nog vrij onverwacht uit het ziekenhuis ontslagen. Het lopen ging nog moeilijk, hij kreeg de raad contact op te nemen met een fysiotherapeut. Joost knikte braaf van ja, maar dacht dat hij op de boerderij genoeg beweging zou krijgen.

Hij kon echter niet zonder kruk lopen. Gedachten hoe hij het werk op de Rijnsburghoeve met één been zou moeten klaarspelen frustreerden hem behoorlijk. Maar zodra hij thuis was, zou het beter gaan, sprak hij zichzelf moed in.

Voor hij vertrok informeerde hij nog naar Mirko.

'Hij heeft een goed tehuis,' beweerde men.

Joost had zijn twijfels, maar het ontbrak hem aan de kracht en de energie om het kind te zoeken. Hij kon immers niets voor hem doen. Trouwens, het kind zou zich het best thuis voelen in zijn eigen land. De vluchtige gedachte iets voor Mirko te doen, vervaagde weer.

Hij kreeg een buisje met tabletten mee naar huis. Toen hij de arts vroeg waar dat voor diende, antwoordde deze: ‘Tegen angstdromen.’

Joost zei niets. Hij had gehoopt dat ze niets hadden gemerkt van de steeds terugkerende nachtmerries. Maar opnieuw stelde hij zichzelf gerust: als hij thuis was, zou het beter gaan.

Samen met twee collega’s vloog hij terug naar Nederland. Er was nu niemand van de groep meer achtergebleven. Natuurlijk werd er over hun ervaringen gepraat. Jammer dat hun project, dat zo mooi was begonnen, zo had moeten aflopen. Maar het irrigatiesysteem werkte, en dat was toch hun belangrijkste doel geweest.

Tegen de tijd dat ze zouden landen, werd er niet veel meer gezegd. Joost vroeg zich af of Emma op het vliegveld zou zijn. Hij had een sms’je gestuurd dat het niet hoefde, maar dat was meer omdat hij tegen de confrontatie opzag. Emma wist niet dat hij met een kruk liep. Misschien had hij haar beter toch kunnen inlichten.

Gespannen en onzeker liep hij later naar de grote aankomsthal. Een van de collega’s droeg zijn koffer. Hij merkte steeds meer hoe beperkt hij was met maar één goed been.

Toen zag hij Emma. Ze had haar haar bijeengebonden met een grote speld, maar losgeraakte krullen sprongen om haar knappe gezichtje. Ze is zo mooi, dacht Joost. Toen zag ze hem en haar gezicht begon te stralen. Joost haastte zich naar haar toe. Emma zag hoeveel moeite het hem kostte. Ze begon zelf naar hem toe te lopen en even later stonden ze tegenover elkaar. De koffer werd bij hem neergezet en de anderen namen afscheid met de belofte contact te houden.

Joost gedroeg zich wat afwezig, maar men begreep dat. Hadden ze niet allemaal iets meegemaakt waar ze nog niet van hersteld waren? Joost keek naar zijn vrouw en dacht: was ze altijd al zo mooi? Zo jong en vol leven? Dan strekte hij zijn armen naar haar uit. Zijn kruk viel,

maar hij hield Emma stevig omarmd.
'Ik heb je zo gemist,' zei hij moeilijk. Zijn schouders schokten.
Emma bleef doodstil staan. Huilde hij? Haar energieke, nergens een probleem van makende echtgenoot huilde? Ze klopte hem een beetje onhandig op zijn rug.
'Je bent er weer, lieverd. Het komt allemaal goed,' fluisterde ze. Ze raapte zijn kruk op en samen liepen ze naar buiten. Haar auto stond niet ver weg. Gelukkig maar, want ze had het idee dat het lopen hem veel energie kostte. Ze zag ook dat het hem moeite kostte om in de auto te gaan zitten. Hij koos automatisch de plaats naast de bestuurder. Hij ksn waarschijnlijk niet rijden, dacht ze geschrokken. Het was misschien veel erger met zijn been dan hij haar had laten weten. Ze keek hem aan, zijn gezicht had een gespannen uitdrukking.
'Het spijt me,' zei hij zonder haar aan te kijken.
'Wat spijt je?'
'Dat mijn emoties even de overhand kregen.'
'Dat begrijp ik toch? Ik weet lang niet alles, je moet heel wat hebben meegemaakt. Maar je bent er weer, we zijn weer samen. En er zijn geen vreemdelingen meer op de Rijnsburghoeve.'
Ze kreeg een vaag glimlachje.
'Behalve Jarno dan,' voegde ze er nog aan toe. 'Maar hem wil ik niet echt een vreemdeling meer noemen. Pa heeft veel steun aan hem.'
Ze startte de auto en hij legde zijn hand op haar been. Tot haar verrassing sprongen ook bij haar de tranen in de ogen. Het was alsof nu pas tot haar doordrong dat hij na wat er was gebeurd ook níet terug had kunnen komen. Ze huiverde en reed even later de auto naar een parkeerplaats aan de grote weg.
'Wil je mij even vasthouden,' vroeg ze zacht.
Hij hield haar vast en Emma had het gevoel dat hij nu

pas echt thuis was.

'Hoe is het met Gilles?' vroeg hij even later.

'Wel goed. Hij mist je. Niet alleen het werk, maar vooral je gezonde verstand, zoals hij het uitdrukt.'

Hij glimlachte. 'Dat heb ik tenminste nog.'

'Met je been komt het toch weer goed?' vroeg ze.

'Men neemt aan van wel. Maar het kan lang duren. Ik vertel het je nog wel. Mijn moeder...'

'Leentje heeft zich heel goed gehouden,' zei Emma. En dat was ook zo. Na de nergens op gebaseerde paniek over het neergestorte vliegtuigje was ze wonderlijk rustig gebleven.

Emma was van plan geweest hem te vertellen over haar eigen geheim. Maar ze had het gevoel dat dit op het moment meer was dan hij zou aankunnen. Ach, enkele dagen zouden toch ook niet meer uitmaken.

13

'Zullen we eerst naar mijn ouders gaan?' vroeg ze toen ze het hek door reden.

'Liever niet,' was het onverwachte antwoord. 'Ze zullen zo veel vragen en ik kan daar nog moeilijk over praten. Mijn moeder bel ik wel even. Ik wil eerst rustig met jou thuis zijn. Over enkele dagen praten we wel.'

Enkele dagen, dacht Emma. Maar ze zei niets. Het leek haar beter te wachten tot hij zelf het initiatief nam. Even later hoorde ze hem nuchter en kalm met zijn moeder praten. Toch had ze steeds het gevoel dat hij op het randje van zijn emoties liep.

'Ze zegt dat ik eerst maar eens goed moet uitrusten,' zei hij met enige verwondering in zijn stem.

'Bel je mijn ouders ook even?' vroeg Emma. Ze had zomaar het gevoel dat vooral haar moeder geen genoegen zou nemen met enkele korte zinnen.

Dat bleek ook zo te zijn. Ze hoorde hem zeggen: 'Dat kan allemaal wel wachten, Sary. Geef Gilles maar even.'

Met hem was hij snel klaar. Als Gilles aanvoelde dat iemand niet wenste te praten, drong hij niet aan.

'Je moeder wil gelijk het naadje van de kous weten,' zei Joost een beetje kregel.

'Het is ook belangstelling,' zei Emma vergoelijkend.

'Ik heb daar nu geen behoefte aan.'

Emma fronste haar wenkbrauwen. Joost leek zo anders.

Hij keek haar aan. 'Het spijt me. Ik ben met mijn gedachten nog daar. Ik hoopte dat je dat zou begrijpen.'

'Erover praten is misschien niet verkeerd,' opperde ze.

'Dat zal ik met jou zeker een keer doen. Maar ik ga geen lezing houden voor de hele buurt.'

Emma zweeg verder. Ze ging naar de keuken om voor het eten te zorgen. Ze was van plan geweest een soort feestmaal te bereiden. Maar dat leek ineens niet meer gepast. Met deze Joost kon ze niet goed omgaan. En dat nu ze kortgeleden tot de ontdekking was gekomen dat hij de man was met wie ze oud wilde worden.

Uiteindelijk maakte ze een eenvoudige stamppot. 'Ik dacht dat je misschien echt Hollands wilde eten,' zei ze.

'Dat heb je goed begrepen.'

Hij at langzaam, keek af en toe om zich heen, alsof hij zich afvroeg waar hij was.

'Alles lijkt zo onwerkelijk,' zei hij op een gegeven moment. 'Ik moet naar mijn gevoel nog steeds thuiskomen.'

Emma knikte kort. Even leek alles gewoon toen hij haar hielp met het inruimen van de vaatwasser. Wat later dronken ze samen koffie.

'Ik heb vaak naar jouw koffie verlangd,' zei hij. Hij zuchtte. 'Ik slaap nogal onrustig. Ik begrijp het als je liever apart wilt slapen.'

'Ik ben lang genoeg alleen geweest,' zei ze, bijna in tranen omdat ze zich afgewezen voelde.

Die avond lag ze roerloos naast hem. Hij was na een vluchtige kus al snel in slaap gevallen. Emma voelde zich even eenzaam als toen hij nog in Ethiopië was. Wat moest ze nu? Moest ze hem wakker maken en hem vertellen dat Carl was overleden en dat Jules voorgoed weg was? Moest ze hem haar geheim vertellen? Ze was bang voor zijn reactie.

Joost was inderdaad onrustig. Hij trok met zijn benen, schudde het hoofd, kreunde soms hardop. Toen hij met een schreeuw overeind vloog schrok ze hevig, en nog erger toen hij het plotseling uitsnikte.

Ze hield hem in haar armen, wiegde hem heen en weer. 'Stil maar, stil maar. Was het zo erg? Het komt weer goed. Je bent nu veilig.'

Ze wist op den duur zelf niet meer wat ze allemaal prevelde, maar Joost werd wel rustiger.

'Waarom vertel je het mij niet?' vroeg ze.

'Het was... ik was levend begraven, Em. Het was donker en heel stil. Ik was ervan overtuigd dat ik doodging. Tot ik stemmen hoorde en een lichtflits zag van koplampen. Ik wist niet of zij wisten dat ik daar was. Maar ze hebben mij gevonden. Marnix was dood. Zo jong, en het meest enthousiast van allemaal. Hij wilde zeker teruggaan. En dan Mirko...'

Emma begreep: hij moest iets te doen hebben. Het kon lang duren voor hij dit had verwerkt. Als hij iets voor iemand kon betekenen, voelde hij zich misschien een beetje nuttig.

'Hoe moet het nu hier?' vroeg Joost zich dan af. 'Je vader zal hulp moeten hebben, zolang ik niets kan.'

'Je kunt wel iets doen tijdens je herstel' zei ze. 'Als je op de trekker rijdt of op de maaier, gaat het vast wel. En het komt weer goed, Joost.'

'Dat zeg jij. Stel dat die Jules terugkomt en ziet dat wij hulp nodig hebben?'

'Hij is voorgoed weg,' zei Emma kalm. 'Hij heeft het appartement van zijn broer overgenomen. Carl is overleden. Hij heeft Jules ook wat geld nagelaten. Jules woont nu in Gent. Mijn vader heeft hem bedreigd als hij zich nog een keer laat zien.'

Het was toch een vreemde samenloop van omstandigheden dat Joost nu op dezelfde manier met zijn been trok als Jules. Ze besloot er niets over te zeggen. Als het goed was, zouden die twee elkaar nooit meer zien.

'Het gaat niet goed tussen mijn ouders,' zei ze dan. 'Mijn vader denkt dat mijn moeder iets heeft met Jules. Het is een feit, hij stond haar te zoenen onder de ogen van mijn vader.'

Joost ging er niet op in, hij ging voorzichtig weer liggen.

'Heb je ergens pijn?' vroeg ze bezorgd.

'Mijn been is nogal beschadigd. Ik was ook nog even bang dat ik onvruchtbaar was.'

Emma haalde diep adem. Dit was het moment. Maar ze zweeg. Het was te veel nu, vertelde ze zichzelf. Er was nog tijd genoeg.

Joost was alweer een week thuis toen Jules plotseling op het erf verscheen. Hij zag er keurig uit, een echte heer. En tot Emma's ergernis ging Sary hem tegemoet, ze leek blij verrast. Evenals alle andere keren omarmde Jules haar moeder als was ze zijn geliefde. Joost, die juist de verplichte oefeningen op de hometrainer achter de rug had, zag deze begroeting even zwijgend aan.

'Ik dacht dat je zei dat hij voorgoed weg was,' zei hij dan tot Emma.

'Dat dacht ik ook,' antwoordde ze. 'Ik vraag me af wat hij komt doen. Hij mag trouwens wel oppassen. Pa is naar de stad, maar hij vliegt hem aan als hij dit ziet. Wat zal ik doen? Naar hem toe gaan?'

'Waarom zou je?'

'Ik wil weten wat hij hier doet.'

'Dan moet je dat vooral gaan vragen.'

Emma aarzelde even, maar ging uiteindelijk toch. Even later stond ze tegenover hem. Voor ze iets had kunnen zeggen, had hij haar al in zijn armen gesloten.

'Mijn liefste nichtje.'

Ze probeerde zich los te wringen, maar besefte toen dat dit nog meer zou opvallen. Dus bleef ze staan tot hij uitgeknuffeld was.

'Wat kom je doen?' zei ze dan.

'Ik kom afscheid nemen.'

'Dat heb je al eerder gedaan.'

'Maar nu vertrek ik voor enkele jaren naar Frankrijk. Komen daar niet de meeste grote schilders vandaan? Ik heb het appartement verhuurd en dicht bij Parijs een flat kunnen huren, samen met een vrouw.'

Hij kijkt me aan alsof hij applaus verwacht, dacht Emma.

'Ik dacht: misschien zie ik hen nooit meer terug. Daarbij hoorde ik van het ongeluk dat je man is overkomen. Wens hem maar het beste. Hij zal mij wel niet willen zien.'

'Dat denk ik ook niet,' antwoordde Emma kortaf.

Toen Sary naar buiten kwam met de vraag: 'Wil je koffie?', liep Emma weg. Als Gilles straks terugkwam, had je de poppen aan het dansen. Het waren haar zaken niet, maar het leek Emma verstandig eens met haar moeder te praten. Zag Sary niet wat ze op het spel zette met haar flirterig gedrag?

Joost zat op de bank in de kamer en staarde somber voor zich uit.

'Wat kwam hij doen?' was zijn eerste vraag.

'Voor de zoveelste keer afscheid nemen. Hij vertrekt voorgoed naar Parijs. Hij heeft naar zijn zeggen ook een vrouw gevonden.' Ze slaakte een zucht. 'Zullen we nu eindelijk van hem af zijn? Hij vroeg trouwens ook naar jou.'

'Ik voel me vereerd. Wat heb je geantwoord?'

'Eigenlijk had ik geen antwoord. Ik weet namelijk niet hoe het met je is. Je praat er niet over. Je hebt een angstige ervaring gehad. Dat dit je nog steeds bezighoudt, evenals de dood van Marnix, kan ik begrijpen. Maar je sluit mij buiten. Dat kan ik maar moeilijk accepteren.'

'Vond je het daarom nodig je door Jules te laten omhelzen?'

'Het gebeurde gewoon. Je weet toch hoe hij is? Daarbij is hij mijn oom.'

Joost liet een cynisch lachje horen. 'En nu is hij bezig je moeder te verleiden.'

'Wat mijn moeder doet, zijn haar zaken.' Ze zweeg. Ze

had de problemen tussen haar ouders met Joost willen bespreken, maar niet op deze manier.

Toen ze door het raam keek, zag ze Jules bij zijn auto. Hoe vaak had het rode autootje wel niet op hun erf gestaan? Sary liep met hem mee en ze namen bij de auto afscheid zoals ze altijd afscheid namen. Het was duidelijk dat Sary hem terugzoende en Emma wendde zich af. 'Wat kan ik eraan doen?' zuchtte ze.

'Ze is blijkbaar nog steeds van hem gecharmeerd,' zei Joost.

'Dat was direct al zo,' zei Emma, die er toch graag over wilde praten. 'Ze is ook nog bij Carl geweest. Mam is ook naar de crematie geweest.'

'Het is werkelijk een vreemde geschiedenis,' zei Joost. Ze zag dat hij zijn gezicht pijnlijk vertrok, maar durfde niet te vragen of hij last had van zijn been. Maar zo konden ze toch niet doorgaan? Het leek wel of er een muur tussen hen was opgerezen.

'Zullen we even naar je moeder gaan?' vroeg ze.

'Veel ander tijdverdrijf is er niet,' zei hij.

Ze antwoordde niet. Ze begreep heus wel dat deze handicap moeilijk te accepteren was. Maar het was tijdelijk. Dat had zowel de arts als de fysiotherapeut hem verzekerd.

'Ik vind dat je al stukken beter loopt,' zei ze even later.

'Behandel me niet als een kind,' was het norse antwoord.

Ze zei niets meer. Ze kon het blijkbaar niet goed doen.

Leentje was duidelijk blij hen te zien en ook zij maakte de opmerking: 'Je loopt al veel beter.'

Joost reageerde niet. Leentje praatte wat over mensen die zij beiden kenden, maar Joost reageerde nauwelijks. Leentje wierp een vragende blik naar Emma. Blijkbaar wist ze niet wat ze hier nu mee aan moest.

Toen duidelijk ze voor de tweede keer koffie haalde,

riep Leentje: 'Emma, wil jij het blad even voor me binnenbrengen?'

Dit was een overbodige vraag, want Leentje kon dergelijke dingen heel goed zelf. Ze gaf met haar voet een zetje tegen de deur en fluisterde: 'Weet hij het nu nog niet, kind?'

'Waarvan?'

'Je zwangerschap.'

'Wat weet jij daarvan?' vroeg ze geagiteerd. 'Dat heb ik toch aan niemand verteld?'

'Het is aan alle kanten aan je te zien, liefje. Al weken. Je moeder vermoedt het ook al.'

Emma trok even wit weg. Ze had het als eerste met Joost willen delen, maar ondertussen was het kennelijk al iedereen in haar omgeving opgevallen.

Leentje legde een hand op Emma's arm. 'Hij zou er misschien van opknappen. Hij is nog steeds niet over die angstige ervaring heen.'

Kwam hij er wel ooit overheen, vroeg Emma zich af. Ze had het erover gehad met de huisarts en deze had geantwoord: 'Hij moet praten. En hij is geen prater. Dat maakt het moeilijk.'

Zou het feit dat ze in verwachting was hem blij maken? Of zou hij boos zijn omdat ze het niet eerder had verteld? Wat was het leven toch ingewikkeld geworden.

Eenmaal thuis belde Sary of ze bij hen kwamen eten. Ze vroeg dat de laatste tijd vaak en Emma vroeg zich weleens af of ze niet met Gilles alleen wilde zijn.

'Wat vind jij?' vroeg ze aan Joost.

'Het maakt mij niet uit,' antwoordde hij niet echt geïnteresseerd. Wilde hij ook liever niet met haar alleen zijn? Wat was er toch mis op de Rijnsburghoeve? Alles was veranderd sinds de dag dat Jules was verschenen. Haar vader was veranderd sinds tot hem was doorgedrongen dat gezondheid niet vanzelfsprekend was. Sary leek haar verleden niet te kunnen loslaten, en Joost was nog steeds met zijn gedachten in Ethiopië.

Het was niet vreemd dat hij dit laatste niet kon loslaten. Maar waarom praatte hij er niet over? En zijzelf dan? Hij was al een paar weken thuis en ze had hem nog niets verteld. Maar Joost moest het weten, vanavond zou ze met hem praten. Hij werd vader.

Ze slaakte haar zoveelste zucht en zei: 'Nu, dan gaan we maar weer naar hen toe.'

'Je kunt ook nee zeggen,' zei Joost kalm.

'Ik wil graag dat jij je mening eens geeft.'

'Over je ouders?'

'Ja. Onder andere. Soms denk ik dat ze op het punt staan om over een scheiding te beginnen.'

'Nou, dan heb ik blijkbaar heel wat gemist.' Hij leek eindelijk geïnteresseerd.

'We moeten praten,' zei Emma.

'Dat lijkt mij ook,' was het antwoord. Nu, dat was tenminste iets.

Toen hij in de gang met enige moeite zijn jas aantrok en ze hem wilde helpen, protesteerde hij: 'Nee, ik moet het zonder hulp proberen. Maar ik wil wel graag de kruk hier laten. Als ik jouw arm mag, neem ik de stok.'

'Laten we het proberen.' Ze hield haar twijfels voor zich. Als ik jouw arm mag. Het klonk allemaal zo formeel. Wanneer gaan we nu eens gewoon doen, dacht ze opstandig.

Even later liepen ze in een rustig tempo naar de andere woning. Ze merkte wel dat Joost zo min mogelijk op haar probeerde te leunen.

'Dat ging eigenlijk prima,' zei ze toen ze bij het huis van haar ouders waren. Daar kwam Gilles naar buiten met de opmerking: 'Zo, jongen, het gaat steeds beter.'

Sary zei: 'Nog een paar weken, schat ik, en je loopt

weer zonder stok of kruk.'

Joost zei niets. Zou hij zich weer als een kind voelen toegesproken? Terwijl haar moeder de tafel dekte, zat Emma tegenover Joost en kon ze zijn blik niet ontwijken. Tot haar schrik zag ze tranen in zijn ogen. Waarom was hij zo emotioneel? Pakten ze hem totaal verkeerd aan?

Hoe zou het gaan bij zijn collega's thuis? Sommigen hadden ook een vrouw en kinderen. Misschien zou het goed zijn als ze elkaar eens ontmoeten, dacht Emma. Ze konden dan ervaringen uitwisselen. Ieder had het natuurlijk anders beleefd. Sommigen waren vanonder het puin gehaald en één was er overleden.

Er werd weinig gezegd aan tafel, tot Gilles ineens vroeg: 'Begin jij er al een beetje overheen te komen, jongen?'

Joost zei eerst niets en even was Emma bang dat er helemaal geen antwoord zou komen. Toen zei hij: 'Ik ben bang van niet.'

'Dat dacht ik wel. Als de dood zo dichtbij komt, dan kun je dat niet zomaar vergeten. Zoiets kost tijd.'

Emma verwonderde zich over het duidelijke begrip van haar vader.

'Het was bijzonder om Carl en Jules weer te zien,' zei Sary plotseling.

'Die indruk had ik al,' zei Gilles cynisch.

'Ze waren zo anders,' zei ze. Het was alsof Sary hardop droomde.

Moet dat nu, dacht Emma geërgerd.

'Ik ben blij dat ik nog afscheid van hen heb genomen,' ging Sary verder. 'Het deed Carl goed dat hij Emma nog had gezien. En nu is hij weg, voorgoed weg. Evenals zijn broer trouwens. Het lijkt me goed als we die twee nu vergeten.'

Ze stond tegenover Gilles, haar handen steunend op de tafel. Het leek alsof ze haar woorden rechtstreeks in zijn hoofd wilde graveren.

Gilles keek haar aan en de spanning was voelbaar. 'Weet je dat heel zeker?' vroeg hij hees.

'Heel zeker. Ik zal niet ontkennen dat ik mij wel gevleid voelde dat Jules zo veel aandacht aan mij besteedde. Maar zoiets is nooit blijvend, dat weet jij ook wel. Dat wist ik al toen ik jaren terug zwanger bleek te zijn. Ik durfde het jou niet te vertellen, bang als ik was je kwijt te raken.'

'En ik wilde je niet zeggen dat ik het wist omdat ik bang was jou kwijt te raken,' zei Gilles op dezelfde toon.

Emma kon niet helpen dat de tranen haar in de ogen sprongen. Was het zo gemakkelijk iets recht te zetten wat al jaren tussen hen in stond?

'Zullen we maar gaan eten? Alles wordt koud,' zei Gilles nu nuchter.

Heel even begreep Emma nu waarom haar moeder was gevallen voor de charmes van Jules. Het leven met haar vader was misschien toch weleens wat saai. En dat zou niet meer veranderen. Maar Sary hield van de boer van de Rijnsburghoeve, dat was nu wel duidelijk.

Het was dapper van haar moeder zich zo bloot te geven.

Nadat de tafel was afgeruimd, vertrokken Emma en Joost vrij snel. Emma dacht dat haar ouders nu wel liever alleen wilden zijn. Het was ook mogelijk dat er geen woord meer over werd gezegd.

Dat laatste klopte echter niet. Het was Sary die nu echt wilde praten. Ze wenkte hem nog even bij haar te blijven. Toch had ze ook een zekere schroom. Ze wist hoe dicht ze bij een echte breuk waren geweest. En Gilles wist dat ook.

'We hebben te lang met geheimen geleefd,' zei ze zacht.

Gilles knikte. 'Ik ben altijd bang geweest je te verliezen.'

'Waarom? Ik had voor jou gekozen. Dat moet je hebben geweten. Ik heb nooit meer iets van Carl gehoord. Zijn dochter zien was iets wat Jules voor hem wilde doen nu Carl op het laatst van zijn leven was. Ik heb geen spijt dat ik hem heb opgezocht. Hij was zo blij Emma te zien. Maar jij hoefde nooit bang te zijn, Gilles.'

'Jij was mooi en bovendien wel vijftien jaar jonger. Ik was een saaie boer en ik kon je geen kinderen geven. Ik had alleen geld.'

'Ook niet niks,' zei Sary met een plagend lachje. Dan, serieus: 'Wist je niet hoe bang ik was toen je plotseling ziek werd?'

'Nou, ziek,' wuifde Gilles haar woorden weg.

'Dat had je mij onder andere te bieden,' zei Sary. 'Vertrouwen. Jij kunt de zaken relativeren. Je brengt rust. Denk niet dat ik ooit iets zou beginnen met een flierefluiter als Jules. We zouden elkaar binnen de kortste keren de tent uit vechten.'

'Je had dit alles weleens eerder kunnen zeggen,' bromde Gilles. 'Dan had ik hem waarschijnlijk niet in zijn achterste geschoten.'

'Het is gelukkig goed afgelopen. Ik begreep toen pas hoe jaloers je werkelijk was.' Sary zweeg even. 'En misschien heb ik me wat laten gaan. Ik miste de genegenheid die ik altijd van je kreeg, en misschien dacht ik dat mijn omgang met Jules ertoe zou leiden dat je me opnieuw wilde veroveren. Helaas gebeurde het tegenovergestelde.'

Gilles bromde iets onverstaanbaars, waaruit Sary begreep dat er nu wel genoeg was gepraat. Gilles had vandaag meer gezegd dan anders in een hele week. En, wat nog belangrijker was, hij had iets van zijn gevoelens laten blijken. Iets wat tegenwoordig zo belangrijk werd gevonden, maar wat Gilles nooit had geleerd. Ze moest deze momenten koesteren en eraan terugdenken als ze weer het idee had dat ze geen contact met hem kon krijgen.

'Is er nog koffie?' vroeg Gilles terwijl hij de krant openvouwde.

Sary glimlachte in zichzelf. Dit was haar leven. Ze had hier twintig jaar geleden voor gekozen, en het was een goede keuze geweest.

'Wat vond jij daar nu van?' vroeg Emma.

Joost drukte de tv uit en keek haar aan. 'Waarvan?'

'Wat mijn moeder zei.'

'Ik vond het goed dat ze eindelijk duidelijk was. Dat had ze veel eerder moeten doen. Praten kan soms veel oplossen, zegt men.'

'Zou jij graag je reisgenoten weer ontmoeten?' vroeg Emma. 'Ik bedoel... zij hebben hetzelfde meegemaakt als jij. Je zou hen hier kunnen uitnodigen, of op een neutrale plaats afspreken.'

Joost keek peinzend voor zich uit. 'Ik weet niet of ze daar behoefte aan hebben. Ik denk dat ze weer aan het werk zijn.'

'Het is maar een idee,' zei Emma een beetje teleurgesteld.

'Ik denk erover na.'

Hij drukte de tv weer aan en Emma ging naar de keuken om koffie te zetten. Wanneer zou ze nu eindelijk de moed vinden om hem te vertellen dat hij vader werd? Vandaag, dacht ze. Ze kon niet langer wachten.

Na de koffie, besloot ze.

Joost dronk rustig zijn kopje leeg en stond dan op. 'Ik ga even bij Maartje kijken. Ik dacht vanmiddag dat het niet lang meer zal duren. Ze was erg onrustig.'

'Ik kom ook zo,' knikte Emma. De geboorte van een kalfje was altijd weer een belangrijke gebeurtenis. En het was voor Maartje haar eerste keer.

Ze bleef nog even dralen, maar spoorde toen zichzelf aan. Dit was een goede gelegenheid om Joost haar geheim te vertellen.

Ze liep gelijk door naar het achterste gedeelte van de schuur. Daar zat Joost in de afgescheiden ruimte met het pasgeboren kalfje tegen zich aan. Maartje snufte onophoudelijk aan het diertje, terwijl Joost het kalfje met stro droogwreef. Maar de manier waarop hij dat deed verontrustte haar. Er was iets straks in zijn gezicht en het leek alsof hij op het punt stond te gaan huilen.

'Haalt ze het niet?' vroeg ze zacht.

Hij schudde het hoofd en ze knielde bij hem neer, begon hem te helpen. Ze legde haar hand op de hals van het dier en voelde een zwakke hartslag.

'Ze leeft nog wel,' zei ze. Ze pakte de kop van het dier vast en ademde door de neus. Ze voelde het kalf tegen zich aan bewegen. Het wilde gaan staan, maar was nog te zwak.

Maartje liet een zacht geluid horen, alsof ze wilde zeggen: kom op, je kunt het. Emma voelde de tengere pootjes onder zich krabbelen en masseerde het dier. Joost deed hetzelfde, en opeens had hun geploeter resultaat. Het kalfje probeerde overeind te krabbelen, viel weer en probeerde het opnieuw. Toen stond ze heel dicht bij de moeder. Ze wist gelijk waar ze zoeken moest om voedsel te krijgen. Maartje loeide weer, maar het klonk nu anders. Ze leek opgelucht. Maar dat kon natuurlijk niet. Een koe had dergelijke gevoelens niet.

Emma keek naar Joost en zag dat hij beefde. Impulsief sloeg ze haar armen om hem heen. 'Ze heeft het gered. Een beetje extra aandacht de komende dagen en ze wordt net zo sterk als de andere.'

Hij keek haar aan, zijn hand streelde nog steeds het jonge dier. 'Het is een wonder. Zie ons hier nu zitten.'

'Best een romantisch plekje,' glimlachte Emma.

Joost hield haar dicht tegen zich aan. Emma met haar mooie gezichtje op hooggehakte schoenen, midden tussen de viezigheid en het stro. Vechtend voor het leven van een kalf. Terwijl...

'Er was daar nog een huis ingestort,' zei hij plotseling. Zijn stem trilde. 'De moeder heeft het niet overleefd. De vader was al jaren niet te achterhalen. Het kind was gewond, maar hij zal het halen. Wat heeft het voor zin...'

Emma haalde diep adem. 'We krijgen een kindje,' zei ze dan.

Hij bleef haar aankijken en ze zag ongeloof in zijn ogen, maar toch ook iets van blijdschap.

'Ik wilde het steeds vertellen, maar er was zo veel wat ons bezighield. Toen kwam jouw reis ertussen. Wees niet boos.'

'Hoe kan ik boos zijn? Waarom vond je het nodig zo lang te wachten om het mij te vertellen?'

'Het leek alsof er nooit een goed moment was. Niemand weet het nog...' Ze aarzelde. 'Nou ja, eigenlijk weten jouw moeder en mijn ouders het al. Maar ik heb het ze niet verteld, ze hebben het zelf geraden.'

'En ik merkte niks,' zei Joost met een verdrietige klank in zijn stem.

'Ben je boos?' vroeg ze opnieuw.

'Nee. Je hebt een mooi moment uitgekozen om het me te vertellen. Hoe zullen wij dit diertje noemen? Beatrijs. Zij die geluk brengt,' zei hij er prompt achteraan. Hij hield haar dicht tegen zich aan en ze keken naar het kalfje en de moeder.

'Ze mag niet weg. We houden haar,' zei Joost beslist.

'Afgesproken,' zei Emma.

'Wij vertelden elkaar te weinig,' zei Joost. 'Het is ons van God gegeven, Emma. Het moest zo zijn. Ik was zo bang dat ik mogelijk onvruchtbaar was. En kijk ons nu: je was al zwanger voor alles gebeurde.'

Emma was enorm opgelucht dat Joost dit nieuws zo goed opnam. 'We kunnen sowieso twee kinderen hebben,' zei ze. En toen hij haar niet-begrijpend aankeek: 'Dat kind in Ethiopië. Hij heeft niemand, zeg je. Laten we hem gaan halen.'

'Emma, dat gaat zomaar niet. Je weet toch hoe moeilijk het tegenwoordig is om ons land binnen te komen? Men wil dat steeds meer gaan beperken.'

'We moeten de ambassade inschakelen. Eventuele familie van het kind.' Ze stond op, schudde het stro van haar kleren. 'Joost, je hebt daar goed werk verricht. Als we een kind kunnen redden, moeten we dat doen. Laat mij erachteraan gaan. Ik laat me niet wegsturen.'

Joost keek met enige verbazing naar zijn vrouw. Wat was ze dapper! Ze vroeg zich niet eens af of het verstandig was zo'n jong kind in huis te halen. Maar er waren nog steeds wonderen mogelijk.

De volgende morgen vertelde Emma haar nieuws aan haar ouders en later ook aan Leentje. Ze vertelde ook over Mirko, die nu in een kindertehuis verbleef. Ze had informatie opgevraagd bij de ambassade. Het kind had sinds zijn redding geen woord meer gezegd. Er was niets gevonden van een hersenbeschadiging, maar de kans dat Mirko voor de rest van zijn leven bleef zwijgen, was groot.

In de tijd die volgde waren ze voortdurend bezig met de formaliteiten om Mirko naar Nederland te halen. Het kind bleek inderdaad geen naaste familie meer te hebben. Zijn enige verre familielid was een oudoom, die geen andere oplossing had geweten dan het kind naar een tehuis te brengen. Van die persoon hadden ze geen protesten te verwachten. Ook de Ethiopische autoriteiten deden niet moeilijk. De meeste vertraging kwam uit Nederland.

Joost begon steeds beter te lopen. Hij werkte weer voor een groot deel mee op de boerderij. Jarno was hem daarbij tot grote steun.

In die tijd maakte Joost een afspraak in het ziekenhuis zonder Emma hierover in te lichten. Maar een week later kwam hij terug uit de stad met een enorme bos bloemen. Zoiets deed hij eigenlijk nooit, dus Emma vroeg verbaasd waar dit voor was.

'Voor veel zaken,' zei Joost zo vrolijk als hij lange tijd niet was geweest. 'In de eerste plaats omdat wij een kind krijgen. Twee kinderen zelfs, als alles doorgaat. In de tweede plaats omdat ik ontzettend blij met je ben. Ik zeg dat veel te weinig.'

Emma stond hem aan te kijken alsof ze hem voor het eerst zag, maar een kleur steeg naar haar wangen.

'In de derde plaats omdat je zo veel geduld met me hebt,' ging Joost verder. 'En in de vierde plaats omdat ik vandaag heb gehoord dat ik niets nadeligs heb overgehouden van hetgeen me is overkomen. Ik ben ook niet verminderd vruchtbaar.'

Emma slaakte een zucht die wel uit haar tenen leek te komen. 'Je hebt je laten onderzoeken en je hebt mij niets verteld?'

Joost keek enigszins schuldbewust. 'Ik vertel het nu toch?'

'Maar wat als de uitslag anders was geweest? Had je dat dan weer voor jezelf gehouden? Was je dan weer weggezakt in sombere buien zonder dat ik wist waarom?' Ze klonk niet boos, eerder een tikje ontmoedigd.

'Ik had het je niet direct verteld,' gaf Joost eerlijk toe. 'Ik zou de blijdschap om het komende kindje niet willen verstoren. Ik weet dat ik sommige dingen anders moet aanpakken.' Hij gaf haar de bos bloemen. 'Maar dit is een begin. Goed?'

Er kroop een lachje om haar mond. 'Goed. Ik accepteer

dit begin en zie uit naar volgende stappen. Maar ik stel voor dat we ons eerst bezighouden met de twee die we binnen enkele maanden hopen te verwelkomen.'

Even stonden ze met de armen om elkaar heen, toen ging Joost de deur uit, terug naar zijn werk.

Emma keek hem na. Ze dacht dat hij niet alleen beter liep, maar ook zijn rug rechter hield. Er was duidelijk een last van hem afgevallen.

Ze zocht een passende vaas voor de bloemen. Ze besefte dat deze bloemen veel meer betekenden dan zomaar een attentie. Ze zou moeten accepteren dat Joost in sommige opzichten leek op haar vader. Gesloten, maar onvoorwaardelijk trouw.

Het was hun niet meer gelukt alles voor de komst van Mirko te regelen voor de geboorte van hun dochter. Ze noemden haar Felice.

'Felice,' herhaalde Leentje. 'Nu, ik had er echt niet op gerekend dat ze Leentje zou heten. Maar Felice, waar komt dat vandaan?'

Joost vertelde haar de betekenis, namelijk: zij die geluk brengt.

Toen Felice enkele weken oud was, kwam de komst van Mirko steeds dichterbij. Het was nu bijna rond, de papieren waren in orde. Maar zowel Emma als Joost vonden het moeilijk Felice achter te laten als ze hem zouden gaan halen. Emma ging er als vanzelfsprekend van uit dat hun dochter bij Sary zou logeren.

Toen Joost de dag voor ze zouden vertrekken bij zijn moeder langsging, trof hij haar in tranen aan.

'Nou ma, we zijn met een week weer terug,' zei hij een beetje geschrokken.

'Ik snap niet dat je opnieuw naar dat gevaarlijke land gaat,' was het antwoord.

'Het kind kan nu eenmaal niet zelf komen,' antwoordde Joost kribbig. Hij zou niet toegeven dat hij er zelf ook tegen opzag terug te gaan naar dat gebied.

'En nog iets,' ging Leentje verder. 'Waarom moet het altijd Emma's moeder zijn die op jullie dochter past?'

Joost aarzelde. Emma vertrouwde haar dochter toch het liefst aan haar eigen moeder toe.

'Het is ook mijn kleinkind,' sputterde Leentje verder.

'Als je Sary vraagt of je Felice een dag bij je mag hebben, zal ze dat heus wel goedvinden. Ik zal het haar zeggen. Emma denkt er misschien niet aan.'

Eenmaal buiten ademde hij diep de frisse lucht in. Het was misschien ook niet helemaal eerlijk. Maar hij begreep Emma wel. Haar moeder was zoveel jonger en kon daardoor makkelijker omgaan met de gebroken nachten. Maar Leentje zou het heel graag een dagje overnemen, daar was hij zeker van.

'Ik weet dat ze alleen is,' reageerde Emma die avond kribbig. 'Kan een baby van zes weken dit oplossen?'

'Ze is dan ergens verantwoordelijk voor,' zei Joost.

'Het zal heus nog weleens gebeuren, zeker als we er twee hebben. Als ik dan een paar dagen ga werken zou het weleens moeite kunnen kosten haar ergens onder te brengen.'

'Ik wist niet dat je werk zocht,' zei Joost strak. 'Je bent hier straks hard nodig.'

'Ach, het is nog niet echt serieus,' zei ze schouderophalend. Joost ging er niet verder op in. Soms had Emma toch het rusteloze van haar moeder. En ook van die Carl natuurlijk, als die maar een beetje op zijn broer leek. Ja, zeker ook van Carl.

Beiden waren ze gespannen toen ze eenmaal in het vliegtuig zaten. Joost kon niet anders dan denken aan zijn vorige reis, en Emma was bang om wat haar te wachten stond.

'Stel je voor dat ze het kind toch niet mee willen geven,' tobde ze hardop.

'Daar ben ik niet bang voor. We hebben het allemaal geregeld.'

Ze overnachtten in een hotel en reisden de volgende dag met een bus verder. Joost vertelde over de omgeving, maar Emma hoorde de aarzeling in zijn stem. Kwam alles wat hij een beetje had losgelaten nu weer terug? Ze hield zijn hand in de hare en gaf er een kneepje in. Joost wist op dat moment zeker dat Emma wist wat hem bezighield.

Toen ze de eerste ingestorte huizen zagen, kon hij zijn blik er niet van afwenden. Slechts een puinhoop was over, van een ander huis stond alleen de muur nog overeind.

'Het is erger dan ik dacht. Ik heb van dit alles niets gezien,' zei hij.

'Ze hebben jou na je bevrijding direct afgevoerd naar het ziekenhuis,' meende Emma.

Hij was natuurlijk buiten bewustzijn geweest en werd pas na enige tijd wakker in het ziekenhuis, herinnerde Joost zich.

'Zou deze chauffeur weten waar we moeten zijn?' vroeg Emma zich nu af.

'Ik denk dat hij weet wat wij hier komen doen.'

En inderdaad stopte de chauffeur enige tijd later voor een laag, wat grauw gebouw. Maar wat had ze dan verwacht? Bomen of struiken kwam je in dit gebied nauwelijks tegen.

Hand in hand liepen ze naar de deur van het gebouw. Deze deur stond op een kier, en na enige aarzeling liepen ze naar binnen. Het was een lange, brede gang met aan de zijkant ruime openingen, zonder glas. Toen hoorden ze snelle voetstappen achter zich. Sandalen klepperden op de stenen vloer. Een jonge vrouw in donkere kleding, maar zonder de gebruikelijke hoofddoek, kwam naar hen toe.

'U komt voor Mirko,' zei ze na de begroeting. 'Houdt u er rekening mee dat hij misschien bang is. Hij is niet doof, maar praten doet hij niet. Voor de ramp praatte hij goed. Mirko is nu drie jaar.' De vrouw sprak tamelijk vlot Engels.

'Als het is door alles wat hem is overkomen, dan komt het wel goed,' zei Emma vol vertrouwen.

Even later werden ze in een vertrek gelaten waar het vol stond met kinderbedjes en boxen. Hun ogen vlogen door de ruimte en Emma's blik bleef hangen aan een jongetje dat vrolijk op en neer sprong.

'Hier moet u zijn. Dit is Mirko,' zei de vrouw.

Het kind lag op zijn rug in een box, samen met enkele andere kinderen op wie hij niet reageerde.

Emma klemde haar handen ineen. Was hij wel normaal? Hij zag er lief en slim uit. Maar er waren genoeg geestelijke afwijkingen waarvan je niets aan het kind zag. Ze durfde het niet te vragen.

De vrouw boog zich over het kind heen en strekte haar handen naar hem uit. Het kind negeerde haar en staarde zonder interesse naar de zoldering.

'Wat weet u van hem?' vroeg Emma.

'Niet veel. Loopt u maar even mee naar kantoor. Ga je mee, Mirko? Kom, je kunt zelf lopen.' Ze tilde het jongetje op en zette hem op zijn voeten.

Het was Joost die bij hem neerknielde en zachtjes iets in zijn eigen taal tegen hem zei. Hij had daar thuis op gestudeerd, wist Emma.

Het kind reageerde niet, maar leek wel te luisteren.

Op kantoor kregen ze enkele papieren voor hun neus, waarop gegevens stonden zoals de naam en geboortedatum.

'Wij hadden eerst een andere naam in gedachten,' zei Emma.

Er verscheen een frons in het gladde voorhoofd van de vrouw. 'Zijn naam is het enige wat hij heeft. Geen ouders of andere familie, geen huis, geen land. Alleen zijn naam.'

Emma voelde dat ze een kleur kreeg Ze keek in de bijna zwarte ogen van het kind. Een naam als Joost zou ook niet echt bij hem passen.

'Mirko,' zei ze zacht.

Het jongetje wierp haar een vluchtige blik toe, maar hij zei niets. Niet opdringen, hadden ze bij een voorlichtingsavond te horen gekregen.

Ze bleven nog twee dagen in een hotel in een plaats zo'n twintig kilometer verderop. Daar was nauwelijks schade van de aardbeving. Na die twee dagen gingen ze Mirko definitief halen. Het kind ging zonder protesteren mee. Waarschijnlijk had hij in zijn korte leventje geleerd dat protesteren tegen wat dan ook niets uithaalde.

Het viel Emma op dat Mirko af en toe naar Joost keek alsof hij hem iets wilde vragen. Zou hij zich hem toch herinneren?

Ze moesten om twaalf uur vliegen. Emma vroeg zich af of dit een avontuur voor Mirko zou zijn. Maar hij was doodsbang, rilde als een angstig vogeltje. Toen het vliegtuig met veel lawaai begon op te stijgen, gooide hij zich tegen Joost aan en verborg zijn hoofd tegen zijn schouder.

Joost sloeg een arm om hem heen en maakte geruststellende geluidjes. Emma keek naar die twee en dacht: hij zal een lieve vader zijn. Maar ik? Wat zal ik ervan maken?

Emma merkte echter dat het gemakkelijk was om van Mirko te houden. Ze troostte hem als hij weer een van zijn angstdromen had. Dromen die in sommige opzichten leken op de nachtmerries die Joost soms nog had. Maar dat werd minder en ze had goede hoop dat Mirko op den duur ook rustiger zou worden. Het idee van een baan had ze voorlopig laten rusten. Het verzorgen van twee jonge kinderen vergde veel meer tijd dan ze ooit had gedacht.

Mirko was dolgraag bij Gilles en deze had veel geduld met het kind, hij leerde hem ook de eerste Nederlandse woordjes. Mirko hield van de dieren op de boerderij, wat Gilles veel plezier deed.

'Hij lijkt op mij,' zei hij tevreden tegen Sary.

Deze lachte, blij dat Gilles weer helemaal was opgeknapt.

Voor Leentje was het donkere jongetje een Godsgeschenk. Zo klein als hij was, was hij beleefd en uiterst zorgzaam voor haar.

Toen ze een keer een lange wandeling langs de dijk maakten, zei Felice voor het eerst 'mama'. Joost en Emma keken elkaar aan.

'Ze is erg vroeg,' zei Emma trots.

Had Mirko begrepen hoe belangrijk ze dit vonden? Zijn donkere ogen gleden van de een naar de ander. Toen keek hij Joost aan en zei volkomen helder en duidelijk: 'Papa.'

Ze keken elkaar verrast aan.

'Ik heb het gevoel dat we nu pas een echt gezin zijn,' zei Emma.

'Zonder mijn verblijf in Ethiopië en datgene wat daar gebeurde, hadden we Mirko nooit gezien,' zei Joost.

Wat later zaten ze in de berm, terwijl Mirko zich vermaakte met bloemetjes plukken voor Felice.

'Er is in de laatste anderhalf jaar veel gebeurd,' peinsde Emma hardop. 'Het begon al op de dag dat Jules het erf op kwam rijden en mijn moeder hem logies en ontbijt aanbood. Ik vraag me nog altijd af of ze helemaal over hem heen is.'

'We zullen het haar niet vragen,' zei Joost beslist.

Emma was het met hem eens. De vreemdeling die naar

de Rijnsburghoeve kwam en zo veel onrust zaaide, dat hoofdstuk was afgesloten. Ze had haar biologische vader ontmoet en ook weer afscheid van hem genomen. Haar echte ouders woonden hier.

Ze glimlachte naar Mirko, die haar een veldboeket overhandigde. Ze hoopte dat deze kleine vreemdeling haar en Joost ook als zijn ouders zou accepteren. Dat hij hier gelukkig kon zijn. Dat hij de ramp die hem en zijn familie was overkomen achter zich kon laten. Zij en Joost zouden daar alles aan doen.

'Kom, laten we naar huis gaan,' zei Joost.

'Huis,' herhaalde Mirko, die Joost al bij de hand pakte. Hij hielp de wandelwagen duwen en Felice straalde hem tegemoet.

We hebben stormen doorstaan, dacht Emma. We zijn er sterker uit gekomen. We weten dat we op elkaar kunnen vertrouwen. We zullen elkaar nooit meer loslaten.

In Memoriam

Een vreemdeling op de Rijnsburghoeve is de laatst geschreven roman van Catharina Pieterse-Kodde, die schreef onder de naam Karin Peters.

Karin Peters begon al op haar twaalfde met schrijven. Na een kort verhaal in *Libelle* publiceerde zij in 1967 haar eerste roman, *Een hart zoekt een haven*. In totaal schreef ze 94 romans, waarvan ze meer dan een miljoen exemplaren verkocht in 250 verschillende uitgaven. Haar verhalen speelden zich vaak af in Zeeland, waar de auteur vandaan kwam en tot haar dood heeft gewoond.

Behalve een van de best verkopende is Karin Peters ook een van de auteurs die bij de bibliotheek in de toplijst staat van aantallen uitleningen. In 2008 werd ze door burgemeester Schouwenaar van Middelburg koninklijk onderscheiden.

Karin Peters is 73 jaar geworden.